だしの基本と日本料理

うま味のもとを解きあかす

柴田書店

「だし」について

瓢亭　髙橋英一

日本料理のだしは大きく分けて二つあると思います。一つは昆布と干椎茸など生ぐさものを全く使わない精進ものだしと、もう一つは昆布と鰹節または鮪節などを使ったもの。同じ生ぐさものでも、鯖節や鰺節、鰯、飛び魚、だしじゃこなどを使ったものでは、それぞれに用途が違ってきます。

日本のだしほど素晴らしいだしは無いと思います。昆布の持つグルタミン酸のうま味と鰹節の持つイノシン酸のうま味は、一プラス一は二でなしに、そのおいしさは七にも八にもなると言われます。

単に二種類のものを合わせて、これほど深いうま味のあるだしは他国には存在しないでしょう。だしというものは、全ての料理の基本になると言えるくらいに大切なもの、と私は若い頃から位置付けております。

だしの引き方もいろいろで、十人の板前さんがいれば十人共違っただしの引き方をすると言っても、決して過言ではないと思っています。何故ならば、「こうでなければならない」という方程式はなく、個人の感性で改善して行くからです。

私は小学校の頃から調理場を手伝っておりました。調理場や庭の池が遊び場であり、そんな中で毎日目にしていただし。それは日常の中で見慣れたもので、当然の事と余り気にも留めていませんでした。

社会人になり東京へ丁稚奉公に出た時、そこの店のだしの引き方が違うのにまず驚き、その後、大阪の店に見習いに入った時、またもやだしの引き方の違いに驚き、その時はつくづく井の中の蛙と自分の世間知らずを実感した事を今でも覚えています。

修業から戻り、精神的にも仕事面でも落ち着いた頃、自分なりにだしの改善に取り組み、自分の納得行くものを作り出したつもりでした。しかし、しばらくすると何となく気になりだし、以後マイナーチェンジのごとく、折にふれては変えてきました。

たとえば、出入りの乾物屋さんと相談しながら昆布と削り節の研究をしました。

試すうち、削り節は鰹より鮪節が気に入り、しかも鮪の荒節（鬼節）と本枯節を半々に混ぜる方が単品よりもうま味がまろやかで深みが出る事がわかったのですが、その頃、鮪の削り節はそんなに出回っていなかったため、乾物屋さんを通じて枕崎の方で特別に切らさないようにお願いしたものです。

以来、利尻昆布と鮪節の荒節と本枯節の複合の血合い抜きという取り合せに落ちつき、現在に至っております。

現在、また息子が、以前私がやってきたように、時間を見つけ、たまには研究しているようですが、そう簡単には答えは出ません。


今、世界は日本料理ブームと言われています。一番の理由は健康によいからとか。

われわれ京都の日本料理店が中心となり、正しい日本料理を世界に発信することを目的に発足した「日本料理アカデミー」は、２００５年３月、フランスのリヨンにおきまして、日本料理のワークショップを行ないました。

その中のプログラムで初日の開幕一番に、私が煮物椀を題材にして、日本料理にとって昆布と鰹節のだしがいかに基本的で大切なものか、ということを説明し、昆布と鰹節などの現物を見せながら試食もしてもらいました。

試食の段階では、昆布だしは海藻の香りと磯くさいだけで、おいしくないとの評でした。

われわれ日本人は昆布だしを飲むと、それなりにおいしいなあと感じますが、フランス人は海藻を食べる習慣がなく、うま味を感じない人がほとんどだとのこと。

そこで、昆布だしに鰹節を入れるとおいしいとの評で、そこに淡口醤油で香りをつけ、塩で味を引きしめて仕上げると、「うーんおいしい！」とのことでした。

講習最後に「フランス料理で最近日本の昆布と鰹節を使っているお店があると聞きますが……」とたずねたところ、ダビット・ズタス氏やティエリー・マルクス氏など、フランスで今注目の若手シェフ数人が手を上げられ、驚きました。


日本のだしのうま味は人間の精神に大変よい役目を果たしていると私は常々思っています。その「おいしいなー」と感じさせる深い味わいは、精神を落ちつかせ、心を豊かにさせる働きがあると思います。

たとえば、ちゃんと引いただしで仕立てた一杯の味噌汁。金額にすれば安いものですが、これほどおいしく心を和ませるものはありません。小さい子供の頃からこのようなおだやかな食生活をしていれば、すさんだ心の大人にはならないと思うのは、考え過ぎでしょうか。

「食生活が人柄を作る」と思っているのは考え過ぎでしょうか。

何でもが簡単に手に入る時代、飽食の時代と言われる近年、インスタントやレトルトなどに頼りすぎず、本当のだしが健康面だけでなく、人格形成にもいかに重要かを各家庭、そして料理人一人ひとりが考え直してほしいものだと強く感じております。

撮影　髙橋栄一
ブックデザイン　石山智博
編集　佐藤順子
　　　大掛達也
　　　鍋倉由記子
取材　土田美登世

基本のだし

昆布と節類のだし・精進のだし

昆布図鑑

真昆布（山出し昆布）

北海道・尾札部《おさつべ》浜産

北海道の南部、松前白神岬から函館、恵山《えさん》を経て、室蘭に至る沿岸で収穫される。恵山岬を境界とし、南茅部《みなみかやべ》から砂原に至る沿岸は「白口《しろくち》浜」、恵山岬から汐首《しおくび》に至る沿岸は「黒口《くろくち》浜」、汐首から函館市に至る地域は「本場折《ほんばおり》浜」と呼ばれる。この三つは、道南最高級3銘柄と呼ばれて珍重されている。中でも、白口元揃《もとぞろえ》*が最高級品とされ、尾札部産の元揃は献上品として別格に扱われている。別名として、山出し昆布といわれるのは、この地域の昆布が集積地の函館に運ばれていく途中、山越えして出荷されていたからである。あるいは、山のようにだしがとれるからという説もある。

真昆布はごく淡い色で上品な甘みのあるだしがとれる。大阪を中心とする関西地方で幅広く使われている。葉色は淡褐色で、下部で幅広いくさび形になって茎につながる。切り口の色で、白口（白色）と黒口（黄色）に分類される。

*元揃とは、折り方による区別のひとつで、昆布の葉先を三日月形に切りそろえ、葉をのばして乾燥させたもの。

昆布は、国内生産量のうち、約95%までが北海道産である。産地によって、真昆布（山だし昆布）、利尻昆布、羅臼昆布、日高昆布（三石昆布）に分類される。それぞれ収穫される浜によって格が決められており、それを「浜格差」という。さらに、葉の形や選別、光沢などから1～6等までの格付けが行なわれている。

ちなみに、残りの生産地としては、太平洋側沿岸の東北3県（青森、岩手、宮城）があり、こちらでは真昆布や細目昆布（だし昆布には適さない1年生の細い昆布）などが混在している。

昆布は、海藻の一種で、コンブ科コンブ属と、その近縁種を総称する名前である。多くは、2～3年の寿命があり、食材として収穫されるものの多くは2年生で、夏に採取される。採取された昆布は、天日ないしは機械で乾燥させてから、だし昆布として出荷されていく。

昆布漁は、2年生の昆布が充分に生育する夏から秋にかけて行なわれる。解禁日は、毎年7月10～20日の間に決められることが多い。この時期より前に採られたもの（間引きしたものなど）は「棹前《さおまえ》」と呼ばれる。そして、解禁日から9月10日前後までの収穫初期に

利尻昆布

北海道・香深《かふか》浜産／平成16年度収穫

北海道の最北端、利尻・礼文両島のほか、留萌《るもい》以北、稚内の野寒布《のしゃっぷ》岬、宗谷《そうや》岬を経てオホーツク海沿岸網走に至る地域で収穫される。前者を島物、後者を地方《じかた》と区別し、島物のほうが高級品として流通する。中でも、礼文島の香深浜、船泊浜などが代表的な収穫浜である。

透き通ったクセのない上品なだしがとれる。とくに、京都で好まれており、懐石料理に欠かせない吸い物に用いる一番だしに最適といわれている。

形状としては、黒褐色で、真昆布に比べてややかたい。また、変色変質しないため、高級おぼろ・とろろ昆布としても用いられる。

羅臼《らうす》昆布

北海道・羅臼浜産

知床半島の根室側（南側）、羅臼町を中心とする沿岸で収穫される。

別名「りしり系えながおにこんぶ」ともいうが、オホーツク海側では収穫されないため、産地名の羅臼昆布として呼ばれることが多い。

葉幅が広く、肉薄なのが特徴で、羅臼昆布に限っては、肉薄なほうが良質とされている。表皮の色によって黒口と赤口に区別され、黒口のほうは見た目もよく、高級品とされている。ちなみに、黒口は半島の先端寄り、赤口は半島の南端寄りで収穫される。

黒口も赤口も、やや濁りやすいが、黄色みを帯びた濃いコクのあるだしがとれる。肉薄でやわらかいため、煮昆布や炊き合わせなどの素材にも用いられる。北陸地方で愛用されている。

採られた昆布は、夏採や走《はしり》と呼ばれ、もっとも良質品として取引される。これよりあとに採られた昆布は、成長しすぎて、だしの出も悪くアクも強いため、秋採や後《ご》採《ど》れと呼ばれる。

昆布は、深さ5〜8m程度の岩礁地帯に生育することが多いが、潮流の強さなどにより、その深さは異なる。漁師は船上から鉤《かぎ》などの道具を使い、巻きつけるようにして引き上げる。引き上げた昆布は、すぐに石を並べた干場に広げて天日に干される。晴天なら、4〜5時間程度で乾く。干し上がった昆布は屋内に運び、重ねてからムシロで覆って平らにする。その後、形を整えて結束し、ようやく出荷されていく。

昆布には、天然に繁茂するもののほかに、養殖栽培と促成栽培がある。養殖栽培とは、胞子を養殖縄につけて海に沈め、後は天然ものと同様に2年間かけて自然に生育させることをいい、促成栽培は培養液などを用いて早く生育させた種苗を用い、1年間で生育させるものをいう。天然ものに比べ、養殖ものは色が黒くなるといわれるが、実際に見分けるのは難しい。

乾燥方法にも、昔ながらの天日干しのほかに、機械を使って乾燥させる方法がある。天日干しの場合、昆布の中

日高昆布（三石《みついし》昆布）

北海道・井寒台《いかんたい》浜産

三石町のある日高地区を中心に、広尾、日高、室蘭から道南地区の一部で収穫される。別名、三石昆布とも呼ばれる。日高昆布は育成した浜によって格付けが決まっており、特上浜、上浜、中浜、並浜と分かれ、さらにABCと細分化されている。ちなみに、井寒台浜は特上浜に指定されている。

濃緑で黒褐色をおび、繊維質がやわらかいのが特徴。そのため、煮上がりが早く、だし昆布としてだけでなく、昆布巻きや佃煮などの惣菜によく使われる。

だしとしては、濁りやすく、ほかの昆布に比べると甘みが少ない。関東以北でよく使われており、おでん用の昆布として定評がある。

根昆布

礼文島産の利尻昆布使用

その名の通り、根の部分を切り落としたもの。だし昆布として使われることはないが、滋養が高いため、昆布水をつくるとよい。昆布水には、カリウム、ヨウ素、カルシウムなどのミネラルが豊富に含まれ、天然の健康飲料利水として注目されている。

爪昆布

道南産の真昆布使用

根昆布のやや上の部分で、爪の形をしていることから、この名で呼ばれる。通常、おぼろ昆布をつくった端部分を利用する。だし昆布として使われることは少ないが、薄いながらも繊細なだしがとれる。

に適度な水分が残り、それが乾燥するに連れて表面に白いものが浮かんでくる。これはマンニットと呼ばれるもので、うま味成分と海水の塩分が作用して生まれたうま味成分のひとつ。これを水洗いすると、大事なうま味が逃げてしまう。これに対し、熱風を当てて乾燥させる機械干しの場合、黒さが際立って、むしろ見た目はよくなるが、芯まで乾燥させてしまうので、マンニットは出てこない。ただし、同じ生産地でも、天候によって天日干しと機械干しを併用することもあって、正確に分類することは非常に難しいといわれる。

昆布に含まれるうま味成分は、グルタミン酸である。このグルタミン酸は、イノシン酸と合わせて食べることにより、うま味の相乗効果があるとされている。イノシン酸を含む素材の代表例が、鰹節である。つまり、日本料理における一番だしとは、もっともうま味が味わえる効果的な組み合わせなのである。あるいは、肉類にもイノシン酸が含まれているが、中でも豚肉との相性が一番いいといわれている。また、干椎茸には、グアニル酸という核酸系のうま味成分が含まれていて、これはアミノ酸系のうま味成分であるグルタ

写真左が1年間、右が3年間ねかせたもの。いずれも、香深浜産の利尻昆布。

蔵《くら》囲《がこい》昆布（利尻昆布）

北海道・香深産／平成14年度収穫

蔵囲昆布とは、収穫して乾燥させた昆布を少なくとも1年間、昆布によっては2～3年間、蔵でねかせたもの。福井県の敦賀にある老舗昆布商の「奥井海生堂」特有の手法で、ねかせることによって、海藻特有の臭みが取り除かれ、うま味が増すとされている。

この手法は、敦賀の昆布商が昔から行なっていたものである。明治以前、北海道から敦賀に集荷された昆布は、主に京都に運ばれていたが、当時、冬季の輸送は非常に困難が多く、自然、昆布は翌春まで蔵で保管されていた。春の訪れを待って蔵から出された昆布は、集荷したばかりの昆布とは香りが異なり、コクのある風味豊かなだしがとれるようになったという。「奥井海生堂」では、昔ながらの手法を踏襲し、土蔵と同じ状態を維持するため、温度と湿度を調整した倉庫で大切にねかせてから出荷している。蔵の中でねかせた昆布は、1年間でおよそ3～5%ほど軽くなる。

ただし、すべての昆布をねかせればいいというわけではなく、同社では、礼文島の香深浜で採れた最高級の利尻昆布を天日乾燥させたものに限っている。自然の産物である昆布は、同じ土地で採れたものでも、気候や海水の状態によって、その年の特徴が出る。つまり、蔵囲昆布なら、セラーでねかせたヴィンテージワインと同様に、産年による違いを楽しみ、使い分けることもできるかもしれない。

昆布提供・取材協力／㈱奥井海生堂　福井県敦賀市神楽町1-4-10　☎0770-22-0493
取材協力／㈱吹田商店　東京都中央区築地4-11-1　☎03-3541-6931

ミン酸と相性がいい。つまり、精進料理などで、魚肉類を使えない場合でも、干椎茸を合わせて使うことでおいしさを増すことができる。

昆布の抽出法には、水出し法と煮出し法がある。水出し法は、前出のマンニットを逃さぬよう、水洗いを避けて、かたく絞った布巾などでふいてから、水につけておく。つける時間は、気候や昆布の品質によっても変わるが、10時間を目安に調整するとよい。煮出し法の場合、水から煮出して沸騰直前に取り出すのが一般的。ただし、研究により、60℃程度を維持しながら約1時間煮出すと、昆布のうま味をもっともよく抽出できることがわかった。高温での煮出しすぎは、海藻の臭みやぬめりが出ることもあるので注意したい。

保存方法に関しては、あまり神経質に考える必要はなく、常温で保存すれば1年間は品質を維持できる。カビが生えないよう湿気には注意が必要だが、乾燥剤を大量に使用すると、湿気だけでなく香りも吸収してしまう。また、冷蔵庫での保管も、香りを吸収されてしまうと同時にほかの食品のにおいも吸い込んでしまうので、できれば避けたいところである。

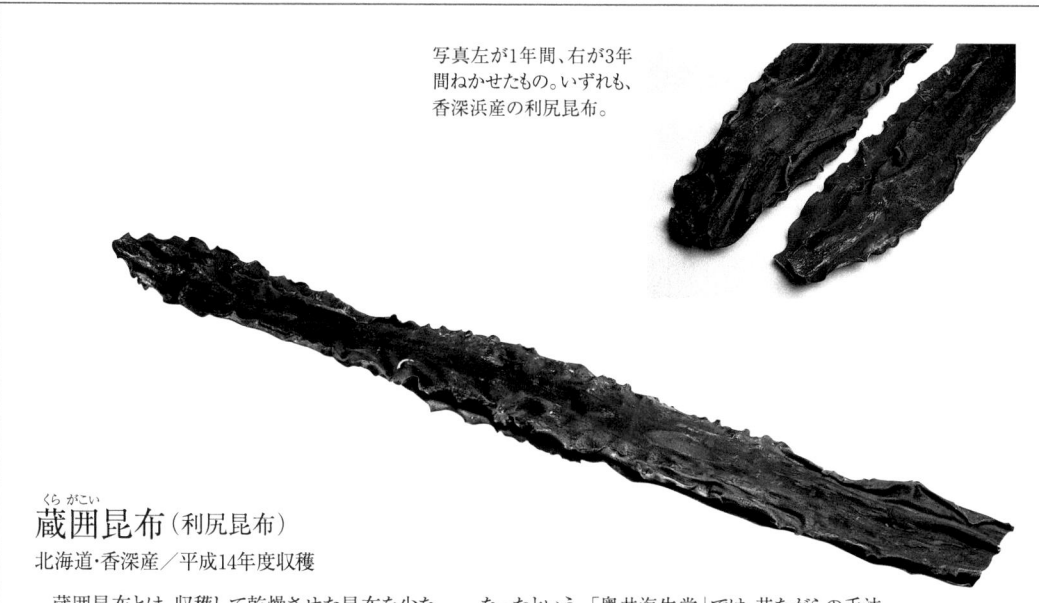

節類図鑑

カツオ、マグロ、サバ、イワシなど原料が多岐に渡る節類。ただ乾燥するのではなく、煮たり燻したりと手を加えてつくられる節類は、昆布や煮干しにはない独特の風味とうま味を持つ。各節に触れる前に、その特徴を生み出す製法を理解したい。

鰹《かつお》節の製造工程

材料の解凍

節に加工するカツオは、南洋で収穫し、船内凍結したものがほとんど。そこで、各製造業社では、冷凍保存し、加工前に解凍しておく。

生切り

カツオを三枚におろす作業。この時の形が、そのまま最終的な節の形に影響するため、重要な工程である。具体的には、頭を落として腹から内臓を取り出し、背ビレを除いてから三枚におろす。かつては、身がつぶれないよう、熟練した職人は、片手で尾を持ち、空中でさばいていたという。カツオは重量によって切り方が変わる。3kg以下のカツオは三枚におろしたらそのまま、3kg以上の場合は三枚におろした片身を、背骨の血合いに沿ってさらに縦に切り分ける。これを「合断ち」といい、前者を「亀節」、後者を「本節」という。本節はさらに背側の身を「雄節《おぶし》」と、腹側の身を「雌節《めぶし》」と呼び分ける。つまり、3kg以下のカツオからは節が2本、3kg以上のカツオからは4本できることになる。

籠立て

カツオを煮る前に、専用の籠に並べる作業のこと。本節は皮を上に向けて、亀節は身を上にして並べる。この後の煮熟の段階で節の形がほぼ決まるため、気を遣う作業のひとつ。重なり方が悪いと身が反ってしまうこともある。

煮熟《しゃじゅく》

カツオを煮る工程。沸騰した湯にいきなり入れると身が割れる恐れがあるので、少し低めの温度の湯に入れ、差し水をしながら90℃前後を保って1～2時間煮る。これはたんぱく質の凝固が目的。煮上がったものは、いわば「なまり節」だ。煮すぎると身が割れたり、足りないとその後の乾燥の工程に影響し、生臭みが出たりする。この時の煮汁はカツオエキスなどに加工されるという。

生切りの様子。鰹節は形のよさも重視されるため、おろした時の形を想定しながら切り進めていく。

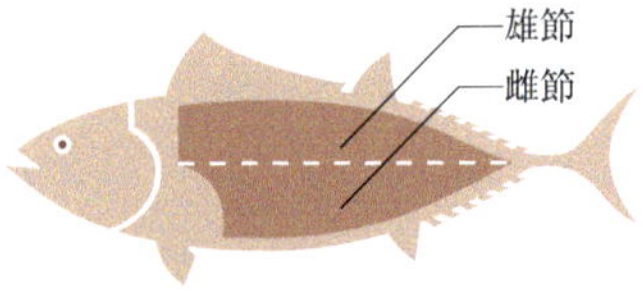

本節(雄節・雌節)

本節は、3kg以上のカツオを三枚におろし、片身をそれぞれ血合いに沿って縦に割ったもの。1尾から4本の節が取れる。背側を雄節、腹側を雌節という。

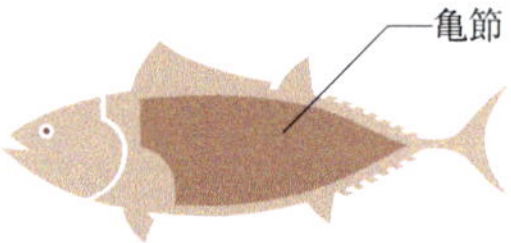

亀節

3kg以下のカツオは三枚におろしたら、そのまま節に加工する。これを亀節という。

籠立てしたカツオを、写真のように何段か重ねて湯に沈め、静かに煮る。

写真提供／柳屋本店

骨抜き

カツオを冷ましてから水に浸し、ウロコや皮、骨を取り除く。皮はすべてを取り除かず、尾のほうの皮を雄節は半分、雌節は2/3程度残す。これは、焙乾中に身が傷むのを防ぐのと、最終的に選別する際に皮の収縮を目安とするため。

焙乾《ばいかん》・あん蒸《じょう》

カツオを燻しては乾燥させる作業。樫や楢の薪を使ってカツオを加熱しつつ香りをつけ（焙乾）、そのまま冷まして中に残った水分が身全体に行き渡るまでねかせる（あん蒸）。一気に乾かさず、これをくり返すことで、徐々にカツオの水分を抜いていく。作業は1日に1回。最低10回はくり返すうちに、表面に真っ黒なタールがついてくる。

荒節《あらぶし》の完成

カビ付けをしない鰹節を「荒節」という。

表面削り

荒節の表面についたタールやにじみ出てきた脂肪を削り落とし、節の形を整える作業。昔は手で削っていたが、今は主に機械を使って行なう。削ることで外形を整える。ここでできた節を「裸節《はだかぶし》」という。

日乾

カビ付けの前に、裸節を1〜2日間天日乾燥させる。

カビ付け

カビ付け専用の部屋に裸節を入れ、2週間ほどおいてカビをつけていく。最初についたカビは「一番カビ」。これがついたら、一度天日に干して菌糸を払い、専用室に入れて再度カビをつける。カビをつけることで、その菌がまだ若干カツオに残っている水分を吸収し、脂肪を分解する。つまり、水分はいっそう排除され、うま味が増してくる。この作業を3回以上くり返したものが「枯節」。4番カビ以上のものを「本枯節」といい、最高級品として扱われる。この時点で、重量は最初の1/6程度に、水分は15％ほどになる。

枯節《かれぶし》の完成

カビ付けをした鰹節を「枯節」という。

枯節

荒節に対し、カビ付けしたものを枯節という。カビ付けの回数を重ねるほど表面はベージュがかった色になる。枯節は関東で好まれる。写真左から雄節、雌節、亀節。

荒節

10回以上の焙乾・あん蒸を終えたものが荒節。カビ付けする前の荒節は、主に関西方面で好んで使われる。黒い表面を削って用いる。写真左から雄節、雌節、亀節。

火による熱と煙でカツオを燻す。燻すことでカツオに独特の香りをつけつつ、中の水分を抜いていく。

鰹節のうま味成分「イノシン酸」　鰹節の主要なうま味はイノシン酸。その含有量が多いほどうま味の強いだしがとれるわけだが、原料となるカツオの鮮度によってイノシン酸の量も左右される。鰹節の製造販売メーカー・柳屋本店では、解凍中の鮮度を管理することで、イノシン酸量を高く維持する技術を開発。同社比で従来の約1.5倍量のイノシン酸を含む鰹節を実現している。

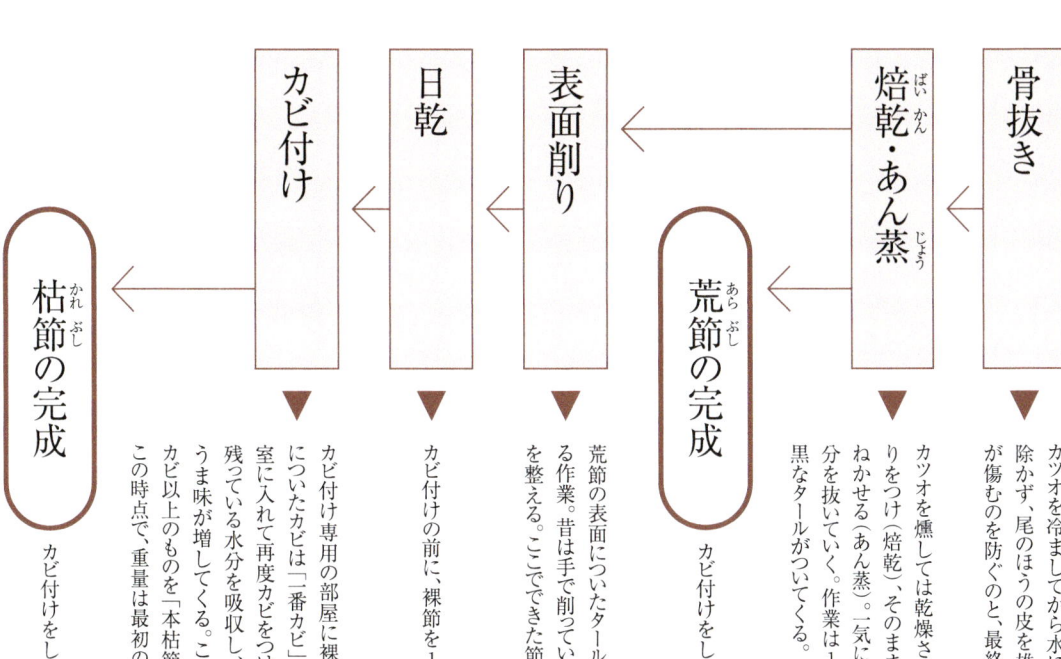

鰹節

荒節（血合い入り）

枯節（血合い入り）

枯節（血合い抜き）

独特の風味を持つ血合いは、だしに力強さを与える反面、渋みや生臭さの原因にもなる。すっきりとしたうま味の繊細なだしをとりたい場合は、血合いを取り除いたものを使うとよい。写真の枯節のほか、荒節の血合い抜きもある。

鰹節の目利き

鰹節を姿のまま仕入れる場合、いい節を見分けるポイントはいくつかある。ひとつは形。すっと伸びて、どこも曲がっていないものが良質だ。また、カビ付けをした枯節の場合は、身割れのないものを選ぶ。割れ目からカビが入り、においがついてしまうのだ。尾のほうについている皮も目安となる。表面の縮れ具合を見た時に、縮れが多すぎるのは脂が多い証拠。適度に縮れたものを選ぶとよい。

（協力・柳屋本店）

尾のほうについている皮は、節選びの目安にもなる。

［鰹節］

クセが少なく、上品な味と香りのだしがとれる鰹節は、節類の中でもっとも多く使われる。主な産地は鹿児島の枕崎、指宿市山川、静岡県焼津で、全国の生産量の約95%をこの3大産地で占める。

原料となるカツオは、かつては近海の一本釣りのものがよしとされていたが、今では南洋での巻き網漁で獲れたものが主流。船上での凍結技術をはじめ、各技術が進歩している現在では、カツオの獲れた場所や時期などによる節の質の差はほとんどなくなっている。

鰹節に向くカツオは、脂がのりすぎていないもの。脂が多いと、焙乾やカビ付けの間に水分だけが抜け、身に脂が残ってしまうため、いくら干してもカチカチにはかたくならない。そうすると、生臭さの原因になったり、削る際にスムーズに削れず粉々になり、だしが濁りやすくなる恐れがある。一方、脂は少なすぎてもうま味が不足し、いいだしがとれない。新鮮で適度な脂を持つカツオを選ぶところから、鰹節づくりははじまる。

鰹節は、つくり方の違いで大きく「荒節」と「枯節」に分けられる。荒節は焙乾まで行なったもので、枯節はそこにさらにカビ付けをしたもの。カビをくり返しつけることで節はさらに脱水され、また、カビ菌の働きで身のたんぱく質が分解されてアミノ酸に変化するといわれる。つまり、荒節より枯節のほうが、うま味の強いだしがとれる。よく「関西のだしは薄味、関東

削り節

荒節・厚削り

長時間煮出して濃厚なだしをとるために、肉厚に削ったもの。1枚0.4〜1㎜ほどの厚さ。煮物のだしをとるのに最適。

枯節・血合い抜き

血合いが抜いてあるため色が白っぽく、すっきりしたうま味で上品な香りのだしがとれる。椀物の吸い地に最適。色を生かしてそのまま料理に添えてもよい。

糸削り・粉削り

節を糸のように削ったもの（写真左）と、粉末状にしたもの（右）。どちらも主に料理にふりかけて使うが、これを使ってだしをとることも可能。濁りやすいが、煮出し時間が短くて済み、香りの強いものがとれる。オリジナルのパックを製造する業者・問屋も多い。

荒節・血合い入り

鰹節でもっともポピュラーなのが、荒節を薄く削ったもの。一番だしをはじめ、煮物やそば・うどんのだし、味噌汁など幅広い料理に使われる。

は濃い」というが、実際に、関西ではすっきりしたうま味の荒節が好まれ、関東では枯節が好まれる傾向がある。ただし、枯節は手間がかかるぶん値段も高めで、市場に出回る削り節は荒節が主流。なお、鰹節は香りも大切な要素で、焙乾でついた香りは、カビ付けによって上品になる。ゆえに、枯節のだしは上品な香りを持つ。

［削り節］

削って使う鰹節。当然ながら削り方によってだしの味わいも変わってくる。たとえば、日本料理の吸い物に使う一番だしでは、うま味とともに香りが重視される。その一番だしをとる際に使うのは、ごく薄く削った鰹節。火にかける時間が長いほど節から生臭さや雑味が出やすくなるため、薄く削って表面積を広くとり、できるだけ短時間でうま味と香りを抽出するのが狙いだ。一方、関東のそば店でよく使われる厚削りは、濃くしっかりしただしをとるためのもの。長時間煮出してうま味をしっかり引き出すのだが、その間にカツオの香りはある程度蒸発するため、そばの香りを引き立てるだしとなる。

なお、そば店など一部の店を除き、現在自分の店で鰹節を削っているところはほとんどない。問屋などから削り節を仕入れるのが一般的だ。香りが命の節類は、本来、削ったその日のうちに使いきるのが理想。しかし、毎日仕入れるのが難しい場合は、密閉できる袋などに入れて冷蔵庫で保存する。大阪の台所、黒門市場内でだし材料を扱う二葉商店では、血合いを除くように鰹節を削っている。「渋みや生臭みの原因に

その他の節類

宗田節《そうだ》

鮪節《まぐろ》（鮪本荒節）

だしパック

鰹節を主体にほかの節類や昆布などをブレンドし、個分けの袋（ティーバッグのようなもの）に詰めたもの。材料を細かくして入れているため、水と火にかけるだけで手軽にだしがとれる。

なる血合いは、酸化の原因でもあります。その血合いを除いて削ることで、多少日持ちがよくなります」と社長の吉崎有三氏は話す。

［鮪節］

マグロの中でも脂の少ないキハダマグロを原料とする。1.5〜3kgのものが節に加工されるが、小さいものは「キメジ」と呼ばれ、そのため関東では鮪節を「めじ節」ともいう。また、関西では「しび節」とも呼ぶ。

鰹節と同様、近海ものを原料とすることは少ない。大半はソロモン近辺など南洋で網で獲ったものを用いる。原料が少ないこともあり、生産量は少ない。荒節がほとんどで、カビ付けした枯節はごく少量しかつくられていない。

鮪節の特徴は、節自体もだしも色が薄く、クリアーで上品なうま味のだしがとれる点。主に関西で使われ、料亭、割烹など高級店での需要が高い。椀物などだしをストレートに味わう料理に使われる。

［宗田節］

ソウダガツオ（マルソウダガツオ、ヒラソウダガツオ）を原料とする。血合いが多く、そのままでは食べづらいマルソウダを節に加工することが多い。このマルソウダは関西では「メジカ」と呼ばれ、そのため「めじか節」ともいわれる。高知県の土佐清水が一大産地で、上の写真のように1尾を二つに割ってつくる「割節」が主体。個体が小さい場合は1尾丸ごとを節にし、「丸節」と呼ぶ。

宗田節は、鰹節に比べて味も色も濃厚なだし

鰯節《いわし》

上・マイワシ
下・ウルメイワシ

鯖節《さば》

節類提供・取材協力／㈱柳屋本店　静岡県焼津市東小川2-1-10　☎054-628-6108
㈲二葉商店　大阪市中央区日本橋2-12-24　☎06-6641-2716

がとれる点が特徴。そのため、椀物よりもそばやうどんのだし、煮物などに使われる。とくに関東のそば店では、コクと複雑みのあるだしを求め、鰹節や鯖節と合わせて使われることが多い。関東ではカビ付けしたものが好まれるが、関西ではカビ付けしない荒節が主流だ。

〔鯖節〕

関東以南で獲れる、脂の少ないゴマサバが主な原料。大きさによって割節か丸節に加工する。その工程は鰹節と似ており、煮熟→焙乾を経て節となる。カビ付けをした鯖枯節もあり、関東のそば店での需要が高い。

鯖節の特徴は、うま味の強いだしがとれる点。雑味が少なく、香りは穏やかですっきりしているが、そのぶん風味が飛びやすい。そばやうどん用のだしが主な用途で、単独で使われることは少なく、鰹節や宗田節と合わせて用いられる。

〔鰯節〕

マイワシ、ウルメイワシ、カタクチイワシをそれぞれ原料とした節がある。九州が主な産地。いずれも煮干しとは香りが異なる。

マイワシは、香りはしっかりしているが、あっさりとしつつも、まろやかなだしがとれる点が特徴である。

ウルメイワシは、マイワシやカタクチイワシに比べて脂肪が少なく、そのぶんクセも少ない。コクとまろやかさがあるだしがとれる。

カタクチイワシの節でとっただしは、色が黄色みを帯びる。味わいはあっさりとしている。

いずれも関西以西のうどん店などで使われる。

日本料理のだし

技術指導＝田村 隆（つきぢ田村）
だしの科学解説＝成瀬宇平（鎌倉女子大名誉教授）

懐石料理や割烹、料理屋などの日本料理店で用いられる主なだしは、昆布と節類でとる一番だし、二番だしである。店の規模や業態、価格設定などによって、だしをとる材料、店のベースとなるだしは違うし、とり方もさまざまだろう。ここでは東京・築地に店を構える会席料理店「つきぢ田村」の三代目主人、田村隆氏に「つきぢ田村」で使っている一番だし、二番だしのとり方、だしを生かした基本の料理をご指導いただいた。

同店では、一番だしを使うのは椀物の清《すま》し汁のみ。そのほかの料理はすべて二番だしを用いて、それぞれの料理、素材に合わせて調味し、使い分けるという、いわゆる八方だし的な使い方をしている。

このような使い方は、主に一番だしのもつ香りは吸い物に、二番だしのうま味とコクはそのほかの料理に生かしていくという考え方に基づいている。したがって、一番だしは椀物を提供するたびに引いて、決して沸騰させずにさらりととって、立ち上がる瞬間の香りを大事にする。一方二番だしは、その日に使う分量をまとめて仕込むが、どんな料理にも対応できるよう、しっかりと追いがつおをし、うま味とコクをきっちりと抽出している。

鰹本枯節（血合い入り）

薄く削った削り節を仕入れる。主にだしの香りを高めるために用いる。つきぢ田村では夏季には鰹節を多めに使う。

だしの科学

（1）血合い肉はミオグロビンという色にかかわる色素たんぱく質を多く含むので、血合い入りの節はだしの色を濃くすると考えられる。

（2）またミネラル類含有量は血合い以外の肉よりも血合い入りのほうが多いので、だしにえぐみをつけることも考えられる。

（3）しかし、カツオが生存している間、血合い肉の代謝は活発なので、死後のイノシン酸の生成量は普通肉に比べて多く、うま味は強い。

＊カツオの生存中のエネルギー源は、体内に存在するATP（アデノシン・3・リン酸）である。死んで呼吸が止まると（酸素の摂取ができなくなると）このATPが、ADP（アデノシン・2・リン酸）に変化し、AMP（アデノシン・1・リン酸）を経てイノシン酸が生成される。

このイノシン酸が鰹節の主なうま味となる。したがって、生きているカツオのイノシン酸含有量は少ないが、死後に増えるということになる。煮熟までの過程で体内の酵素の働きでイノシン酸は生成され、含有量が決まる。

焙乾、日乾、カビ付けなどの加熱をともなう製造工程ではイノシン酸量は増加しない。したがって鰹節の品質は、イノシン酸量の多少ではなく、焙乾による香気成分の付加、日乾、カビ付けの工程における水分の除去、またカビ付け工程における脂肪の除去などの製造技術が関与する。

（4）血合い肉のグルタミン酸含有量は、普通肉に比べてわずかに少ないので、血合い抜きの鰹節のみでだしをとるよりも、昆布だしに含まれるグルタミン酸のうま味の邪魔をせずに、鰹節の役割である香気成分の付与に関与すると考えられる。

鮪枯節（血合い抜き）

薄く削った鮪節を使用。主にだしにコクを与えるために用いる。冬季は鮪節をやや多めに使用している。

だしの科学

（1）キハダマグロのうま味成分には、遊離アミノ酸、オリゴペプチド、核酸および核酸関連物質、含窒素化合物（分子中に窒素を含む化合物）、糖、有機酸などがある。

（2）だしのコクのあるなしはペプチドの量がかかわってくる。ペプチドが多いとコクがあると感じるといわれている。鰹節や鮪節のだしのうま味は、イノシン酸などの核酸関連物質、グルタミン酸などのアミノ酸類であるが、鮪節には鰹節よりもペプチド類が多く存在する。ペプチドは死後、たんぱく質分解酵素の働きにより、ポリペプチド、オリゴペプチドなどの分子量の大きいペプチドから、分子量の小さいペプチドを経てアミノ酸になる。キハダマグロは漁獲後のたんぱく質分解速度がゆっくりなので、アミノ酸に変化する前のペプチドの生成量が多い。うま味に関与するペプチドの成分として、必ずグルタミン酸が存在することもわかっている。

真昆布

冬場の昆布は割るとパリッと音が立つくらい乾燥しているので、少々長めに水に浸す必要があるが、夏場の昆布はやや湿気を含んでいるので、冬ほどは浸水しない。大鍋でだしをとる場合は、温度が上がるまでに時間がかかるので、すぐに火にかけても差し支えない。

だしの科学

（1）昆布だしは、グルタミン酸を中心にアスパラギン酸などのうま味成分を含む。昆布は乾燥させたあと、山のように重ねて堆積して熟成させる。このときに昆布に含まれるたんぱく質が分解して、うま味成分のアミノ酸類が生成される。ちなみに、乾燥した真昆布100g中の遊離アミノ酸のうちグルタミン酸は約1600mg、アスパラギン酸は約820mgである。

そのほかにわずかにだしに溶出するプロリン、アラニンなどが昆布だしのうま味に関与している。

（2）昆布の表面の白い物質は、糖アルコールのマンニット（マンニトール）と多糖類のアルギン酸。マンニットは甘みに関与し、アルギン酸は粘りや透明感に関与する。真昆布の場合、アルギン酸がほかの昆布に比べてやや少ないので、澄んだだしになると考えられる。

一番だし

［材料］
水　2リットル
真昆布　20g
鰹本枯節（血合い入り）　40g
鮪枯節（血合い抜き）　40g

だしのとり方

1

①昆布の表面についているほこりや汚れなどを流水でサッと洗う。

だしの科学
表面を洗うと、昆布の表面の塩分とマンニットは多少失われるが、サッと洗う程度ならさほど影響はない。昆布の表面をぬれ布巾でふく場合は、かたく絞った布巾で表面を傷つけないよう、軽くゴミを落とす程度に。

＊素干しした昆布１００g当たりの食塩相当量は6～9gである。生鮮昆布の塩分濃度は少ないが、水分7～10％ほどまで乾燥させると、表面に塩分とマンニットがふき出してくる。洗うことによって昆布の表面の塩分とマンニットは一部除かれるが、組織内に存在している成分は消失しない。

2

②昆布を分量の水につける。冬季は1時間半ほどつけ、夏季は20～30分間ほどつける。寸胴鍋などの大鍋でとる場合は、温度が上がるまでに時間がかかるので、浸水なしですぐ火にかけてよい。

だしの科学
長時間つけると粘りが出て、昆布独特の色やにおいがだしに出てしまう。

＊昆布を水に長時間つけることにより、うま味成分のグルタミン酸を主としたアミノ酸類は溶出するが、同時に昆布の粘質物のアルギン酸やそのほかの多糖類も溶出し、だしに粘りが出てしまう。

　また長時間浸水すると、ミネラル類も溶出する。これはアクの成分ともなる。また色素の主成分はβカロテンやクロロフィルであるが、水溶性の色素たんぱく質も含む。この色素たんぱく質が溶出して、料理に好ましくない色となってしまう。

　においにおいても、海藻類に含まれるアルデヒド類は、だしを好ましくないものにする。

3

③沸騰直前の状態まで火にかける。鍋の周りにフツフツとした細かい泡が出てきたら引き上げる目安。

だしの科学　鍋の周りに泡が出始める温度は60～65℃。煮立てると、だしが濁って昆布のにおいが出てしまう。

＊水に長時間つけすぎたり、鍋に蓋をして煮立てると、粘質物が出てだしが濁り、アルデヒド類のにおいも出てくる。昆布のだしをとるには60℃の湯に約30分間つけてとる方法がある。冬場は常温で12時間以上水につけてとる水だしもある。

4

④昆布を引き上げる。これ以上温度を上げるとだしに雑味が出てしまう。

だしの科学　温度を上げすぎたために溶出する物質は、粘りのある多糖類、臭みのあるアルデヒド類やイオウ化合物、トリメチルアミン、アクの成分となるミネラル類（とくにヨウ素）である。

5

⑤火を止めて、すぐに鮪節を入れる。

だしの科学　60～70℃の温度は、節類の香りが消失せず、うま味を邪魔する成分や好ましくない色やにおいも出ない。

＊この温度帯ならば節類の香気成分が揮発して失われることがない。また節類に含まれるミネラル、色素、脂質酸化物が溶出しにくい温度でもある。火をつけたまま節類を入れると、うま味を邪魔するミネラル類、色素類、脂質酸化物などが溶出しやすくなるので、アクが出たりだしの色が悪くなる。ちなみに節類の芳香成分には、有機酸、有機塩基、アルコール類、フェノール類など200種類ほどがある。とくにグアヤコール、4-メチルグアヤコール、2,6-ジメトキシフェノールの3種類の成分が中心となって、鰹節特有の芳香が生まれる。

うま味とコクの観点からも、温度をそれ以上上げる必要はないとされる。鰹節のうま味はイノシン酸のほかに、アンセリンやヒスチジンも関与している。これらの成分は温度を上げなくても溶出する。またコクの成分と考えられているクレアチンは、高温の加熱によりクレアチニンに分解する。クレアチンは無味だが、クレアチニンは比較的強い苦みがある。したがって加熱を続けたり、煮立てたときに感じる苦みは、このクレアチニンも関与する。

6

⑥続いて鰹節を入れる。

7

⑦削り節が沈み、アクが出てきたら取り除く。

だしの科学　削り節のアクの成分は、製造工程や保存中に生成された脂質酸化物。きっちり取り除くこと。

＊脂質酸化物には、苦みや渋みがあり、舌を刺すような刺激の原因となる。脂質酸化物の生成を防ぐために、袋詰めの市販品は、酸素とふれないように窒素ガスや炭酸ガスが封入されている。1度開封したら密封し、低温で貯蔵し、できるだけ早く使い切ることである。

8

⑧すぐにサラシでだしを漉す。よく削り節が沈むまでおくといわれるが、「つきぢ田村」では、すぐに漉している。

だしの科学　すぐに漉すと、香気成分が揮発しないので、香りのよいだしになる。

＊香りよりもうま味に重きをおく場合は、沈むまでおいたほうがよい。沈むまでの温度内でうま味が溶出する。ただしアクも出てくることがある。

9

⑨一番だし。清し汁に用いる。

二番だし

［材料］
水　2リットル
一番だしをとり終えた昆布と削り節　全量
鰹本枯節（血合い入り）　30g
鮪枯節（血合い抜き）　30g

だしのとり方

1

①一番だしをとり終えた昆布と削り節を鍋に入れ、水を注ぐ。

2

②新しい鰹節と鮪節を入れる。

だしの科学

節類、昆布ともエキス分、アミノ酸量は充分残っていると推定できる。

＊鰹本枯節のJAS規格は、エキス分が15％以上溶出するものとなっている。この規格をもとに考えると、鰹節にはエキス分（アミノ酸として）が1000mg前後含まれると想定される。一番だしで溶出するエキス量は150mg以上。したがって材料に残るエキス分（85％）は、約850mgと推定できる。

またアミノ酸量に関しては次のような報告がある。水100㎖中に削り節10gを加えて沸騰してから火を止めて3分間放置しただしには、アミノ酸が10・7～12・5mg、核酸関連物質のアデニル酸が1.9～2.0mg、イノシン酸が22・9～26・1mg含まれるという報告がある。

昆布については、10℃の水に30分間つけた場合のアミノ酸の溶出率を1とすると、100℃まで5分間加熱を続けると約1.5～1.7倍となるという報告がある。昆布100g中のグルタミン酸量は約1200～1300mgで、だしに溶出する量を鰹節と同様に15％とすると、一番だしをとった残りの昆布には、1020～1100mgのアミノ酸が残ることとなる。

3

③火にかけ、沸騰したら弱火にして10分間煮る。

だしの科学 沸騰させると、うま味の量は増えるが、えぐみ、加熱臭が出る。

*鰹節20g、水1リットルの配合で、沸騰水に入れてとっただしのアミノ酸量は130mg、水に入れてすぐに100℃まで加熱してとっただしのアミノ酸量は140mg、水につけて30分後に加熱し沸騰させてとっただしのアミノ酸量は145mg。

4

④サラシ生地で漉す。

5

⑤しっかりと絞ってだしをとる。

だしの科学 絞るとうま味は多くなるが、加熱しすぎたときほどではないものの、雑味も混入する。

6

⑥二番だし。

昆布だし

［材料］
水　2リットル
昆布　20g

だしのとり方

1

①昆布の表面についているほこりや汚れなどを流水でサッと洗い流す。

だしの科学

表面を洗うと、昆布の表面の塩分とマンニットは多少失われるが、サッと洗う程度なら影響は少ない。

2

②昆布を分量の水につける。冬季は1時間半ほどつけ、夏季は20～30分間ほどつける。寸胴鍋などの大鍋でとる場合は、温度が上がるまでに時間がかかるので、浸水なしですぐ火にかけてよい。

だしの科学

昆布を水につけてから火にかけてだしをとった場合、水につけなかったときよりも多糖類、色素、ミネラル類などの溶出量は増える。

＊水につけずに60℃に温めた湯に入れてだしをとれば、色素や多糖類、ミネラル類の溶出量は水につけておいた場合よりも増える。

3

③沸騰直前の状態まで火にかける。鍋の周りに細かい泡がフツフツと生じてきたら、昆布を引き上げる。

だしの科学

うま味、ミネラル類、多糖類の溶出量は水だしより多い。ただし高温にするとにおいやえぐみなど好ましくない成分も生じやすい。

◎沸騰させた場合の成分

（1）沸騰させるとうま味成分のグルタミン酸の量は多く溶出されるが、色素成分（カロテン、クロロフィル、キサントフィルなど）、多糖類、ミネラル類も多く溶出する。

（2）とくに高い温度になると、ミネラル類が溶出しやすくなる。

（3）加熱することにより、溶出した昆布の臭み成分は揮発するので、昆布の臭みを除くには、沸騰させるとよいといえる。

昆布水だし

［材料］
水　2リットル
昆布　20g

だしのとり方

1

①昆布の表面についているほこりや汚れなどを流水でサッと洗い流す。

2

②保存用の瓶などに分量の水を入れ、昆布を入れてそのままひと晩おく。

だしの科学　冷蔵庫でひと晩（10～12時間）が限度。これ以上おくとだしに粘りが出てしまう。

＊冷蔵庫に保存しても多糖類が溶出し、だしに粘りが出ると同時に、細菌が繁殖することも考慮しなければならない。なぜなら、溶出する塩分濃度、多糖類の濃度は細菌の繁殖に適しているからである。また、乾燥していても細菌が付着していて、水につけることにより、水分は細菌が生育するのによい条件となる。

＊昆布水だしと火にかけてとった昆布だしは、成分組成には大差はない。

つくっておくと便利！——八方美人

田村氏考案の便利調味料。ミリン200㎖を鍋に入れて火にかけ、アルコール分を飛ばし（煮切り）、同量の濃口醤油を加えて煮立て、鰹節20gを加えてさらにひと煮立ちさせて冷ましたもの。これがそばのかえしのような便利調味料になる。これを昆布水だしでのばすと、そばだし、たれ、煮物用のだしなどさまざまな料理に役立つ。まとめてつくっておくと家庭などで重宝するので、「八方美人」と呼ぶ。

だしを生かした基本の料理

だしのうま味を汁物に生かす

◎一番だし

椀物　清し汁仕立て
胡麻豆腐　たけのこ　車海老　菜花　木の芽

椀物には繊細ですっきりした一番だしを引いて、立ち上がる香りを生かす。胡麻豆腐やタケノコの持ち味を生かしつつ、吸い物としておいしく仕上げる。

［材料］
- 吸い物地　左記のうち150㎖
  - 一番だし　22頁でとった全量
  - 塩　5㎖
  - 淡口醤油　15㎖
  - 酒　45㎖
  - 濃口醤油　少量（香りづけ程度）
- 胡麻豆腐
  - 白ゴマ　200㎖
  - 葛粉　300㎖
  - 水　1リットル
- タケノコ　20g
- 車エビ　1尾
- 菜ノ花
- 木ノ芽

1　胡麻豆腐をつくる。白ゴマを煎ってすり鉢でなめらかにあたる。すりゴマと葛粉を合わせ、水を注いでよく混ぜて漉す。

2　鍋に移して、木ベラでかき混ぜながら熱する。充分練り上げたら、流し缶に流して冷し固める。

3　タケノコはアクを抜き、薄切りにする。車エビはゆでて殻をむいて、身を開く。菜ノ花はサッとゆがいておく。

4　一番だしを引き（→22頁）、塩、淡口醤油、酒を加えて熱する。最後に濃口醤油を加えて香りをつけて吸い物地をつくる。

5　椀に切り出した胡麻豆腐、タケノコ、車エビを温めて盛り、菜ノ花を添える。熱い吸い物地を張って、木ノ芽をあしらい、供する。

吸い物地のつくり方

①一番だしを火にかけて熱し、塩を加える。

②淡口醤油を加える。

③酒を加える。

④よく混ぜて調味料を溶かす。

＊中が見えるようにここではボウルを用いたが、厨房では鍋に入れ加熱してつくる。

◎昆布水だし

潮汁
鯛 花びら独活 木の芽

潮汁は白身魚の清し汁。代表的な魚は鯛だが、鱸《すずき》や虎魚《おこぜ》また蛤なども使う。潮汁は本来、塩と水で仕立てたものだが、ここでは白身魚と相性のよい昆布のだしを使ってうま味をアップした。だしを濁らせないように、火加減に注意。

だしの科学

鰹だしのうま味はイノシン酸。白身魚にはイノシン酸が少ないので、鰹だしを使うとカツオのうま味が勝ってしまい、白身魚の淡い味が打ち消されてしまう。白身魚のよさを出すためにさっぱりと仕上げたいときは、昆布だしのほうが相性がよい。

強火で加熱すると、白身魚からたんぱく質（ペプチド、アミノ酸など）の成分が溶出し、汁が濁ってしまう。また身崩れして濁ってしまう場合もある。

［材料］
昆布　5g
水　500mℓ
酒　100mℓ
タイ
ウド
木ノ芽

1　タイを三枚におろし、カブト（頭部）をさばく。少し強めに塩をして1時間ほどおき、塩を洗って霜降りをし、汚れやウロコを取り除く。

2　鍋に冷たい昆布水だしを昆布ごと入れ、酒を入れる。タイを重ならないように並べ、強火にかける。沸騰直前で火を弱めてアクを引く。

3　昆布を引き上げ、コトコトと水面が軽く動くくらいの火加減で5～6分間加熱する。

4　タイを崩さないように注意して、ガーゼでだしを漉す。

5　椀にタイを盛り、花びらのようにむいたウドを散らし、温めた4のだしを注ぐ。木ノ芽を天に盛る。

①水に昆布を入れて昆布水だしをとる。

②酒を注ぎ入れて、タイを鍋に重ならないように並べて火にかける。

③沸騰直前で昆布を取り出し、沸騰したら火を弱めて、アクを引く。

④写真くらいの火加減を保つ。

⑤だしを漉す

だしのうま味を汁物に生かす
◎昆布水だし

深川めし 三つ葉 七味唐辛子

魚介類そのもののうま味をだしに生かしたいときには、冷たいだしから加熱していく。魚介そのものから味は抜けてしまうものの、とれただしの味は魚介のうま味がたっぷり。深川めしは、濃厚なだしをとるため、西洋料理のダブルコンソメのように、アサリを2回に分けて投入した。

だしの科学

だしを冷たい状態から加熱していけば、徐々にアサリの内部からうま味が溶出するので、だしにアサリのうま味が加わり、うま味を強く感じる。熱いだしに入れて加熱すると、表面のたんぱく質がまず変質して固まるので、内部のうま味成分の溶出は遅くなる。だしの濃厚さを求めるならば冷たいだしから、アサリの食感と味を楽しむならば熱いだしから加熱していくとよい。

［材料］
昆布水だし（→28頁） 1リットル
アサリ（砂抜き） 2kg
信州味噌 60g
ご飯 適量
三ツ葉、七味唐辛子

1 アサリは薄い塩水につけて暗いところにおいて砂抜きをする。
2 鍋に冷たい昆布水だしを昆布ごと入れ、だしにギリギリかぶるくらいのアサリ1kgを入れる。
3 鍋を火にかけて、フツフツと沸いてきたら、アクを引いたのち、だしをザルで漉す。アサリは殻を外してむき身にしておく。
4 蒸発して煮詰まらないよう、だしをすぐに氷水で冷やす。鍋に戻して、新しいアサリをさらに1kg入れて、再び火にかける。
5 さきほどと同様、フツフツと沸いてきたら、アクを引いて漉す。アサリはむき身にしておく。
6 だしを熱し、信州味噌を溶き、5のむき身全量を戻して温める。
7 ご飯を盛り、6をたっぷりかける。ゆがいた三ツ葉を散らし、七味唐辛子をふる。

①昆布水だしにアサリを入れる。

②写真程度の火加減で煮る。

③アクが浮いてきたら取り除く。

④だしを漉す。

⑤漉しただしは、氷水にあてて冷やす。

⑥新しいアサリを加えて、再び火にかける。

⑦アクが浮いてきたら取り除く。

⑧2度目のだしを漉す。

⑨左は1回目のだし。右は2回目のだし。

⑩だしを火にかけて、味噌を溶き入れる。

⑪アサリのむき身をすべて戻して温める。

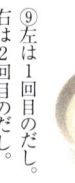

だしのうま味を汁物に生かす
◎二番だし

大葉雑炊 白胡麻 叩き梅 山葵

ご飯の粘りが出ないよう、二番だしを沸かしてから加える。大葉と胡麻の香りを生かすため、塩のみであっさりと味をつける。

［材料］
二番だし（→25頁）　400㎖
　塩　小さじ1/2
ご飯　300g
大葉　10枚
白ゴマ
梅干し
ワサビ

1　ご飯を水で洗ってねばりを取っておく。梅干しは種を除いて、包丁で叩いて叩き梅とする。

2　鍋に二番だしを入れて火にかけ、塩を加える。沸いたらご飯を入れる。

3　再び沸いたら、せん切りにした大葉を入れて火を止め、サッと混ぜる。

4　椀に盛りつけて、白ゴマを散らし、叩き梅とおろしワサビを添える。

①二番だしを火にかけて、塩を加える。

②沸いたら洗ったご飯を入れる。

③再び沸いたら大葉を入れて火を止める。

④サッと混ぜてでき上がり。

うま味を野菜に煮含める
◎二番だし

筍土佐煮 削り節

タケノコは冷たいだしからサッと煮て、そのまま冷まして味を含める。タケノコやカブは水分を多く含む野菜で、素材自体の香りと味は、とても繊細なので、強い味つけはせず、追いがつおをしてしっかりと鰹節のうま味を含める。またタケノコはえぐみのある素材なので、爪昆布を加えて煮て、強めにうま味を出した。

[材料]
二番だし（→25頁） 400ml
　塩　小さじ1/2
　淡口醤油　5ml
　ミリン　5ml
爪昆布　5g
追いがつお　20g
タケノコ（ゆでたもの）　500g
削り節

1　タケノコは根元は輪切りに、穂先は縦に切って鍋に入れ、塩、淡口醤油、ミリンで味をつけた冷たい二番だしを入れる。

2　爪昆布を1枚入れて火にかける。

3　少し温まって鍋の周りに細かい泡が出てきたら（約60℃）、追いがつおをする。

①タケノコと冷たい二番だしを鍋に入れる。

②爪昆布を入れて火にかける。

③60℃くらいに温まってきたら、追いがつおをする。

④写真くらいの火加減を保って煮る。

⑤煮上がったら、昆布を取り出す。

⑥追いがつおを取り出す。箸で軽く押してだしを切る。

⑦そのまま、だしが冷めるまでおいて、味を含ませる。

4　沸騰してから30分間煮たのち、昆布と追いがつおを取り出して、鍋のまま冷まし、味を含める。

5　提供時はだしとともに温めて盛りつけ、削り節を天に盛る。

だしの科学　温かいタケノコを煮汁につけたまま冷ますことによって、タケノコの水分が抜けていく。このときに煮汁の塩分とだしのうま味成分はタケノコに浸透していく。鍋の中では、まずだしの液面の温度が下がりはじめ、次第に中のほうが冷めてくる。中まで冷めてくると次第にタケノコも冷めてくる。タケノコの温度とだしの温度差が、だしを吸引する形となる。

追いがつおとは

追いがつおは、煮物や浸し物などに、カツオの風味やうま味を追加するために、だしに削り節を加えること。使い方は料理によって違う。素材に冷たいだしを注ぎ、ガーゼに包んだ削り節（包まずにじかに加えることもある）をかぶせるように乗せて加熱することもあるし、火を止めてから加えて冷ましたりする。また、青菜の浸し物などのように冷たいだしにつけて味を含ませるときに、追いがつおをしたりする。

だしの科学 熱いだしに追いがつおをするときは、香りの付加が目的。冷たいだしに追いがつおをするときには、うま味を補加するのが目的。

①ガーゼで削り節を包んで、ガーゼの対角を持って1回結ぶ。

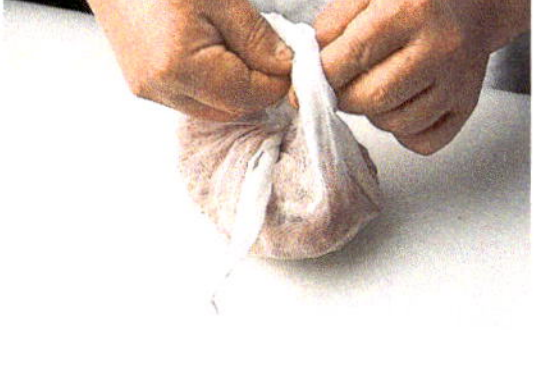

②もう一方の対角を持って1回結ぶ。

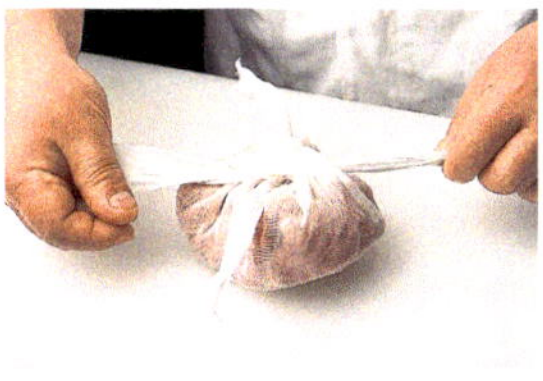

③もう1度①で結んだガーゼを結ぶ。

④もう1度②で結んだガーゼを結ぶ。ガーゼで包んだ追いがつお。

うま味を野菜に煮含める
◎二番だし

里芋味噌煮 ふり柚子

冷たい二番だしでサトイモを直炊きし、煮上がったら鍋のまま冷まして、じんわりとサトイモに味を含ませる。味噌は火を入れすぎると香りが飛ぶので、最後に加えてサッと煮る。

［材料］
二番だし（→25頁）　400ml
砂糖　大さじ2
濃口醤油　大さじ1/2
サトイモ　6個（1個150g）
練り味噌*（赤味噌田楽）　30g
ユズ

*練り味噌／赤辛口味噌500g、白甘口味噌100g、砂糖450g、すりゴマ45ml、酒50ml、ミリン50ml、卵3個を混ぜ合わせ、火にかけて30分間ほど練ってつくる。

1　サトイモを六方にむいて適当な大きさに切る。切り口は煮崩れないよう面取りをする。
2　鍋にサトイモを入れ、冷たい二番だしを注ぎ、火にかける。
3　だしが沸いてサトイモが少しやわらかくなってきたら、砂糖、濃口醤油を入れて落し蓋をして、コトコトという火加減で煮る。
4　サトイモがやわらかくなったら練り味噌を溶かし込む。
5　ひと煮立ちしたら火を止めてそのまま冷ます。
6　器に盛りつけて、ユズの皮をすりおろす。

①サトイモに冷たい二番だしを注いで火にかける。

②写真くらいの火加減で煮てゆく。

③だしが沸いて、サトイモの表面に透明感が出てきたら、砂糖を入れる。

④次に濃口醤油を加える。

⑤落し蓋をして煮てゆく。

⑥サトイモが充分やわらかくなったら、練り味噌を溶かし入れる。

⑦ひと煮立ちさせたら、火を止めてこのまま冷まして味を含ませる。

うま味を野菜に煮含める
◎二番だし

じゃが芋バター煮
さやえんどう
黒胡椒

ジャガイモは冷たい二番だしから煮て、鍋のまま冷まして味を含める。提供時に再加熱してバターを溶かし、からめて仕上げる。ジャガイモのようにデンプン質の多い野菜を冷たいだしから煮るときは、煮崩れしにくくするために面取りをすることが大事。

［材料］
二番だし（→25頁）　400mℓ
ジャガイモ　2個（1個180g）
砂糖　大さじ2
濃口醤油　15mℓ
無塩バター　20g
サヤエンドウ
黒コショウ

1　ジャガイモは皮をむき、適当な大きさに切って面取りをする。
2　鍋にジャガイモと冷たい二番だしを入れ、火にかける。だしが沸いてジャガイモが少しやわらかくなったら、砂糖、濃口醤油を入れて落し蓋をして煮る。
3　ジャガイモがやわらかく煮えたら、火を止め、落し蓋を外してこのまま冷ます。冷めるまでおいてだしを含める。
4　提供時に再び火にかけ、ジャガイモが中まで温かくなったら、無塩バターを加えてからめる。
5　器に盛りつけ、ゆがいたサヤエンドウのせん切りを添え、粗挽き黒コショウをふる。

①ジャガイモに冷たい二番だしを入れ、火にかける。フツフツと鍋の周りに細かい泡が出てジャガイモが少しやわらかくなってきたら、砂糖を入れる。

②次に濃口醤油を加える。

③落し蓋をして、ジャガイモがやわらかくなるまで煮る。

④火加減は写真程度を保つ。

⑤ジャガイモに火が通ったら、火を止めてこのまま冷まして味を含める。

⑥再びジャガイモを熱し、バターを加えてからませる。

うま味を魚介に煮含める

◎二番だし

金目鯛の煮付け 青梗菜浸し 針生姜

切り身魚の煮付けには、あらかじめ濃いめに味をつけた冷たいだしを注ぎ、全体に火が通るよう落し蓋をして弱火で煮ていく。だしを熱してから魚を入れると、だしが濁ったり、魚が煮崩れしやすくなる。

［材料］
二番だし（→25頁） 95㎖
ミリン　大さじ1.5
濃口醤油　大さじ1.5
キンメダイ　50g×3枚
青梗菜の温かいお浸し（→50頁）
針生姜

1　キンメダイの切り身に包丁目を入れ（火通りをよくし、味をしみ込みやすくするため）、熱湯をかけてすぐに氷水にとる（霜降り）。

2　鍋に冷たい二番だしを入れ、ミリン、濃口醤油を入れて、キンメダイを並べる。

3　落し蓋をして弱火で煮る。最後に香りづけの濃口醤油を少量たらして火を止める。

4　煮上がったら、落し蓋を外してこのまま冷ます。1度冷ますと味が中までしみ込む。お惣菜にはこの手法が合う。店で出すときには、煮上がりの熱々をすぐに提供する。

5　器に盛りつけ、青梗菜のお浸しを添え、針生姜をあしらう。

①鍋に冷たい二番だしを入れる。

②ミリンと濃口醤油を加えてだしにあらかじめ味をつけておく。

③キンメダイを並べる。

④落し蓋をして弱火にかける。

⑤写真程度の火加減で煮汁を詰めてゆく。

⑥最後に香りづけの醤油をたらす。

だしのうま味を魚介に煮含める

◎二番だし

蛸旨煮 べったら漬け

タコはサッと霜降りをしたのち、うま味が汁に抜けないように熱しただしで煮る。濃いめに味つけし、素材の味を生かした旨煮に仕立てた。

だしの科学 魚介類を熱いだしから煮ると、表面のたんぱく質がまず凝固するので、魚介のうま味や脂肪分を魚内部に残すことができる。

[材料]

材料

二番だし（↓25頁） 300㎖

酒 100㎖

濃口醤油 30㎖

砂糖 大さじ1

タコの脚 8本（1杯分）

べったら漬け

1 タコは掃除をして、熱湯にサッとつけて冷水にとる（霜降り）。

2 鍋に冷たい二番だしを入れ、酒、濃口醤油、砂糖を合わせて火にかける。

3 沸騰したらタコの脚を入れる。再び沸いてきたら火を弱めてアクを引く。

4 落し蓋をしてとろ火で25分間ほど煮る。落し蓋を外し、このまま冷ます。

5 器に盛り、べったら漬けを添える。

①二番だしに、酒、濃口醤油、砂糖を加える。

②砂糖が溶けるように、よくかき混ぜて火にかける。

③沸いたら霜降りしたタコの脚を入れる。

④タコが浸るくらいのだしの量。

⑤フツフツと沸いてきたら、アクを引いて落し蓋をし、とろ火で25分間煮る。

⑥煮るときの火加減は写真くらいが目安。

うま味を青菜に含める
◎二番だし

うるいお浸し 糸がきかつお

青菜を味つけした冷たいだしに浸して味を含める手法。鮮やかな青色を保つために、必ず冷たいだしを用いること。水分が出る野菜の場合、浸しただしが水っぽくなって、味がしみ込みにくくなるので、しばらくおいたらだしを一旦熱して水分を飛ばし、味を濃くして、再度浸し戻すとよいだろう。

だしの科学 青菜以外にも、細胞がやわらかい葉菜類や、逆に粗いセロリやフキのような野菜も、中に味が浸透しやすいので、冷たいだしにつけて味を含める。

［材料］
二番だし（→25頁）　400㎖
塩　小さじ1/3
淡口醤油　小さじ1/2
ミリン　少量
削り節　10g
ウルイ　200g
糸がきカツオ

1　ウルイを熱湯でサッとゆでて、冷水にとる。
2　冷たい二番だしに塩、淡口醤油、ミリン少量を混ぜて、ウルイをつける。
3　ウルイから水分が出て水っぽくなるので、一旦ウルイを取り出し、だしを火にかけて沸騰させ余分な水分を飛ばし、削り節を入れて追いがつおをし、火を止める。
4　これ以上水分が蒸発して味が濃くならないよう、氷水に鍋をつけて冷ます。冷めたら削り節を漉し、しっかりと絞る。
5　ここに先のウルイを戻して1時間ほど浸す。
6　ウルイを食べやすい大きさに切り、盛りつける。天に糸がきカツオを盛る。

①味をつけた冷たい二番だしにゆがいたウルイをつける。

②ウルイから水分が出るので、薄まっただしを鍋に移して火にかける。

③沸いたら、水分を飛ばし、削り節を入れる。

④サッと沸いてきたら火を止める。

⑤削り節が沈むまで、氷水にあてて冷ます。

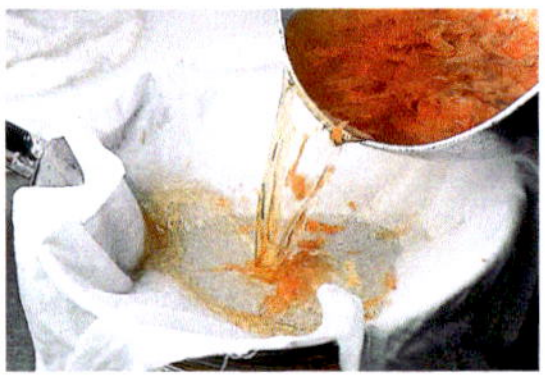
⑥冷めたらだしを漉す。

⑦しっかりとだしを絞る。

⑧ウルイを戻す。

◎二番だし

青梗菜の温かいお浸し 白髪葱

青菜のお浸しの応用。浸し地にサラダ油を加えて味を含ませ、だしを熱して温かく仕上げる。油を加えることで青菜を色艶よく仕上げることができる。

［材料］
二番だし（→25頁）　200mℓ
塩　小さじ1/5
淡口醤油　小さじ1/2
ミリン　小さじ1/2
サラダ油　5mℓ
チンゲン菜　100g
白髪ネギ

1　チンゲン菜の根元に十字の隠し包丁を入れる。熱湯でゆでて冷水にとる。

2　冷たい二番だしに塩、淡口醤油、ミリンを加えてよく混ぜ、チンゲン菜をつける。

3　ここにサラダ油をたらしてよく混ぜ、1時間ほどおいて味を含ませる。

4　提供時にだしを取り分けて熱し、チンゲン菜を入れてサッと温めて盛りつけ、白髪ネギを天に盛る。

①冷たい二番だしに塩を入れる。

②淡口醤油を入れて、よくかき混ぜて塩を溶かす。

③ミリンを加える。

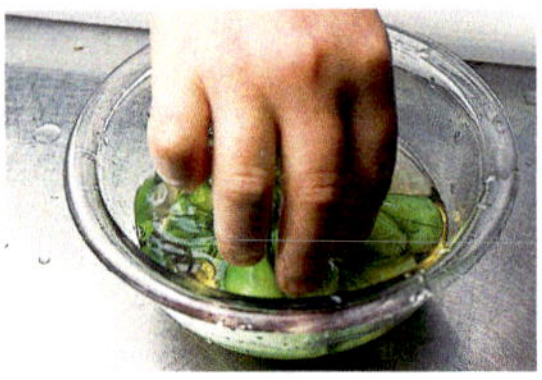
④ゆがいたチンゲン菜を入れる。

⑤サラダ油を加える。

⑥提供時はだしのみを鍋に取り分けて熱する。

⑦沸いたらチンゲン菜を入れてサッと温める。

うま味をご飯に炊き込む

◎二番だし

炊き込みご飯
人参 牛蒡 蒟蒻 干椎茸 油揚げ 紫芽

白米は、だしのうま味と具の持ち味を、素直に含み込む素材。だし次第で味が決まる。熱いだしで炊くと、芯が残ったご飯になってしまうので注意。

だしの科学

熱いだしで炊くと、米粒の表面が糊化し、デンプン粒がくっついてつながってしまう。生の米では、デンプン粒同士に隙間があり、水が内部に毛管現象で浸透しやすくなっているが、デンプン粒がつながってしまうと、この隙間がなくなってしまうため、水が侵入できなくなって芯が残ってしまう。

［材料］

二番だし（→25頁） 540㎖（3合）
塩 小さじ½
淡口醤油 5㎖
濃口醤油 10㎖
ミリン 5㎖
米 540㎖（3合）
ニンジン・ゴボウ・コンニャク 各50g
干椎茸 3枚
油揚げ 2枚
ムラメ

1 ニンジン、コンニャクは細いせん切りにする。コンニャクはあらかじめ熱湯で下ゆでしておく。ゴボウは笹がきにする。干椎茸はぬれた布巾に包んで水分を含ませてせん切りにする。

2 冷たい二番だしに塩、淡口醤油、濃口醤油、ミリンをよく混ぜ合わせておく。

3 米を研いでザルに上げてしばらくおき（冬は1時間、夏は30分間）、釜に入れ、1の具と2のだしを入れてよく混ぜて炊く。

4 炊き上がったらさっくり混ぜて、茶碗に盛る。ムラメを添える。

①冷たい二番だしに味をつける。

②研いだ米に具とだしを入れてよく混ぜる。

③だしでふっくらと炊き上がったご飯。

だしで割る
◎昆布水だし

生がき旨酢がけ 花穂紫蘇

昆布水だしに甘酸っぱい味をつけ、追いがつおをしてうま味をプラスし、ひと煮立ちさせてつくった旨酢。加熱後、冷ますときは氷水につけて、水分の蒸発を防ぐこと。色をあまり濃くしたくない場合は、淡口醤油または塩を用いる。

だしの科学
生のまま酢（調味料）を料理に使うと酢の味が強い場合、だしで割ると酢の酸臭が弱まり、だしのうま味でまろやかな味になる。このときに用いるだしは、香りよりも味を付加する意味で、昆布だしや二番だしがよく使われる。サヨリ、サバ、コハダなどの魚介類には昆布だしが合う。

［材料］
旨酢
　昆布水だし（→28頁）150mℓ
　酢　50mℓ
　淡口醤油　25mℓ
　砂糖またはミリン　大さじ1
　削り節　10g
カキ（小粒）　50g
花穂紫蘇

1　カキは殻から外して、大根おろしなどでよく洗い、割れた殻などを取り除く。
2　旨酢をつくる。昆布水だしに酢、淡口醤油、砂糖またはミリンを入れて合わせ、削り節を入れてひと煮立ちさせる（追いがつお）。沸いたらすぐに火から下ろして氷水につけて冷ます。冷めたら削り節を漉しておく。
3　カキを盛り、旨酢を注ぐ。天に花穂紫蘇を散らす。

旨酢のつくり方

①鍋に昆布水だしを入れる。

②酢を加える。

③淡口醤油を加える。

④砂糖を加える。

⑤削り節を入れて追いがつおをし、火にかける。

⑥沸騰した状態。すぐに火から下ろして氷水で冷ます。

だしで割る
◎二番だし

鯛茶漬け
三つ葉
海苔
おろし山葵

つけだれは、たまり醤油を二番だしで割った。ここでは、たれを水っぽくせずにたまり醤油の味を調節する役目をだしが担っている。またお茶漬けだしは、煎茶抽出液と二番だしを半々に割って合わせた。煎茶のみだと、濃厚なつけだれにつけたタイに合わせにくいので、うま味を足すために半量はだしを加えた。

［材料］
お茶漬けだし
二番だし（↓25頁） 400㎖
煎茶抽出液 400㎖
塩 少量
タイ切り身（薄切り） 150g
つけだれ
二番だし（↓25頁） 45㎖
たまり醤油 35㎖
濃口醤油 10㎖
白ゴマペースト 15㎖
ご飯 1杯
三ツ葉、海苔、ワサビ

1 タイを三枚におろし、上身にして薄切りにする。
2 つけだれをつくる。冷たい二番だしにたまり醤油、濃口醤油、白ゴマペーストを加えてよく混ぜる。
3 ここに1のタイを入れて、1〜2分間つけたのち上げておく。つけすぎると、身がしまりすぎる。
4 二番だしを熱し、同量の煎茶の抽出液を合わせ、ほんのひとつまみの塩を加える。
5 3のタイを盛り、炊いたご飯、4のお茶漬けだしを別に用意する。三つ葉のざく切りともみ海苔、おろしワサビを添える。

つけだれ

①醤油に白ゴマペーストを合わせ、冷たい二番だしで割る。

②よく混ぜてつけだれをつくる。

③切り身をつけだれにつける。

お茶漬けだし

①鍋に二番だしを入れて熱する。

②熱い煎茶の抽出液を加える。

③だしと煎茶の味がなじむように塩を少量を加える。

だしで割る◎二番だし

芹浸し 胡麻和え

濃厚なゴマの味加減と、衣の濃度を調えるために、二番だしで割った。胡麻和えだけでなく、白和えや木の芽味噌などの和え衣は、一般的に和える素材から水気が出るので、だしを加える必要はないが、ペーストや味噌などがかたすぎる場合、水でのばすと味がぼけるので、だしを用いた。

［材料］

胡麻和え衣
- 白ゴマペースト　100g
- 砂糖　大さじ2
- 淡口醤油　15ml
- 二番だし（↓25頁）　45ml

セリ

1　セリを熱湯でサッとゆで、冷水にとる。

2　胡麻和え衣をつくる。白ゴマペースト、砂糖、淡口醤油をすり鉢に入れてよくすり混ぜる。

3　冷たい二番だしを加えてのばす。

4　セリを食べやすい長さに切って盛り、上から胡麻和え衣を鞍かけする。

胡麻和え衣のつくり方

①白ゴマペースト、砂糖、淡口醤油をすり鉢に入れて合わせてよくする。

②二番だしを①に様子を見ながら加えて、セリに適した濃度に調節する。

③よくすり混ぜる。

④写真くらいの濃度に調える。

だしを餡に生かす
◎二番だし

くみ湯葉と白子 べっこう餡かけ 黒胡椒

香ばしい醤油の香りと深い色がべっこう餡の魅力。そのでき上がりの色からべっこうという名称がついている。豆腐やかぶらなどを使った淡白な料理に、醤油の香りとだしのうま味がよく合う。水溶き片栗粉や葛粉でとろみをつけるときは、一旦火から下ろして加えたほうが、ダマになりにくく失敗がない。

［材料］
べっこう餡
　二番だし（→25頁）　400㎖
　ミリン　15㎖
　淡口醤油　15㎖
　濃口醤油　大さじ1.5
　片栗粉　大さじ2
　水　30㎖
引き上げ湯葉　30g
フグ白子　20g
黒コショウ

1　フグの白子は、塩少量をふって軽く合わせ、酒でもんでぬめりを取り除く。適量な大きさに切って焼く。

2　べっこう餡をつくる。二番だし、ミリン、淡口醤油、濃口醤油を鍋に入れて火にかける。沸いたら火を止めて、ダマにならないよう水で溶いた片栗粉を細くたらしながら少しずつ加え、よく混ぜる。

3　再び火にかけて、フツフツと沸いてきたら、火を止める。

4　土鍋に白子、湯葉を盛り、熱々のべっこう餡を適量流し入れ、鍋ごと火にかけて熱する。つぶした黒コショウを天に盛る。

べっこう餡のつくり方

①二番だしを鍋に注ぐ。

②ミリンを加える。

③淡口醤油を加える。

④濃口醤油を加えて火にかける。

⑤沸騰したら、火を止め、少しずつ水溶き片栗粉を加える。

⑥すべて加えてよくかき混ぜたら、再び火にかける。

⑦フツフツと沸いてきたらでき上がり。

だしを餡に生かす
◎二番だし

しいたけ素揚げ甘酢餡
鴨頭葱

砂糖の甘みと酢の酸味がきいた醤油ベースの餡。それぞれの調味料のまとめ役がだし。甘酢餡は、唐揚げや南蛮漬けなどの揚げ物によく合う餡。

［材料］
甘酢餡
　二番だし（→25頁）　400㎖
　砂糖　大さじ2
　酢　100㎖
　淡口醤油　30㎖
　濃口醤油　大さじ1.5
　片栗粉　大さじ3
　水　45㎖
　ゴマ油　少量
シイタケ　特大1個
こうとうネギ

1　シイタケの軸を切り落とし、4等分に切って竹串を刺す。175℃に熱した揚げ油で素揚げし、串を外す。

2　甘酢餡をつくる。二番だしに、砂糖、酢、淡口醤油、濃口醤油を加えて火にかける。沸騰したら、一旦火から下ろして、水で溶いた片栗粉を細くたらしながら少しずつ加えてよく混ぜたのち、再び火にかけ、香りづけにゴマ油をたらして仕上げる。

3　器に素揚げのシイタケを盛り、甘酢餡をかける。上から小口切りのこうとうネギを散らす。

甘酢餡のつくり方

①だしに材料の調味料をすべて合わせて火にかけ、一旦沸騰させる。

②火から下ろして、水溶き片栗粉を少しずつ加える。

③片栗粉をよく混ぜる。

④再び火にかけて、フツフツと沸いてきたら、香りづけにゴマ油をたらす。

だしを餡に生かす
◎二番だし

醤油餡と銀餡

だしに葛を引いて餡にすることで、とろりとした濃厚な食感になり、素材にからみやすくなり、冷めにくいという特徴がある。主に日本料理では淡白な素材を使った蒸し物や揚げ物などに用いられる。

醤油餡

濃口醤油の香りがプンと立つ、香ばしい餡。醤油の強い味をだしのうま味が和らげる。淡白な味の雑炊や粥などの上に張って使うことが多い。

［材料］
二番だし（→25頁）　400mℓ
濃口醤油　60mℓ
片栗粉　大さじ2.5
水　大さじ2.5

①二番だしと濃口醤油を合わせて火にかけ、沸騰したら火を止めて、水溶き片栗粉を細くたらしながら少量ずつ加える。

②火にかけるまえによく混ぜる。

③再び火にかけ、フツフツと沸いてきたらでき上がり。

銀餡

料理の色を生かすために、色の薄い淡口醤油で調味した。茶碗蒸しやしんじょうなどの蒸し物や野菜料理など、利用範囲が広い餡。餡に刻んだ青菜や海苔などを混ぜて用いると季節感が出せる。

［材料］
二番だし（→25頁）　300ml
淡口醤油　大さじ1.5
ミリン　5ml
片栗粉　大さじ2
水　30ml

①一番だしに淡口醤油、ミリンを合わせて火にかける。

②沸騰したら火を止めて、水溶き片栗粉を細くたらしながら少量ずつ加える。

③火にかける前によく混ぜる。

④再び火にかけて、フツフツと沸いてきたらでき上がり。

水溶き片栗粉

餡の濃度をつけるために水溶き片栗粉を使う場合、水で溶いたあと、しばらくおくと片栗粉が沈む。この上澄みの水にはアクが含まれているので、捨てたほうがよい。分量が決まっている場合は、捨てた分の分量の水を足すこと。

天ぷらのだし

技術指導＝早乙女哲哉（てんぷらみかわ）

利尻昆布

丼つゆにも使うので、強い味に負けない、うま味が強い利尻昆布を選んでいる。

干椎茸

浸水せずにすぐに火にかける。クズや欠けた干椎茸で充分。丸のまま大きいものを使うより、こちらのほうが、早くだしが出る。クズが浮いても漉し取るのでつゆに残ることはない。

鰹本枯節（血合い入り）

血合い入りをごく薄削りよりも若干厚めに削ったものを使用。

天ぷらには塩、という向きも多いようだが、なんといっても江戸前には天つゆが欠かせない。

東京・茅場町「みかわ」の天ぷらは、揚げるという加熱工程で水分をじっくり抜いて、種の甘みや持ち味を凝縮させるという方法をとっている。使用している油は、煎りの浅いゴマ油と綿実サラダ油のブレンド。水分が多くてやわらかな保水タイプではなく、種の特徴をしっかり前面に出した脱水タイプの天ぷらである。

揚げたての天ぷらに、じんわりとしみる天つゆは、天ぷらを凌ぐ存在であってはならない。とはいえ、揚げ物に合わせるものであるから、頼りのないだしでもいけない。また、天つゆにつきものの大根おろしも入ることを考慮に入れて、だしには干椎茸を加え、コクとコシを出している。

「みかわ」の天つゆ・丼つゆ用のだしは、香りというよりも、むしろ味を優先して引いているという。

しかし最終的に天つゆに調製するときには、だしの椎茸が表に出ないよう、濃口醤油をきかせてバランスをとる。甘みは砂糖ではなくミリン。醸造された甘みはだしとなじみがよく、天つゆ全体の味がまろやかにまとまり、口に甘みが残らないのだという。天つゆは熱くもなく冷たくもなく、常温で出すのが天ぷらの常道とされている。

一方天丼の丼つゆは、丼ひとつで完結させるという丼物の性質ゆえに、ご飯と天ぷらの一体感を第一に考え、よくなじむようにきっちりと煮詰め、揚げ玉を漉し入れる。濃厚で醤油のかった、いかにも江戸前らしいつゆだ。注文が入ったら温め、丼によそったご飯に丼つゆをかけて蓋をして蒸らしておく。そして揚げたての天ぷらを丼つゆに沈めて先のご飯に乗せ、蓋をして供する。香ばしい天ぷらによくなじむつゆである。

天ぷらと天つゆ

天だし

［材料］でき上り4.6リットル分

水　5.5リットル

利尻昆布　10㎝角×3枚

干椎茸　１００g

鰹本枯節（血合い入り）　１４０g

天だしのとり方

①分量の水を鍋に入れ、10㎝角に切った昆布を入れて1時間ほどおく。

②火にかけたら、すぐに干椎茸を水で戻さずにそのまま入れる。

③湯の温度が上がってくるにしたがって、干椎茸が少しずつ戻ってくる。

④沸騰直前で昆布を引き上げる。沸騰させてしまうとぬるっとした成分が出てきてしまうので、注意。

⑤沸騰したら、鰹節を一気に入れる。

⑥箸で鰹節を沈めたのち、強火で3分30秒煮出す。

⑦布巾でだしを漉す。

⑧しっかりと布巾を絞って漉し取る。

⑨天だし。うっすらと色がついている。

天つゆ

［材料］
天だし　4.6リットル
濃口醤油　1.4リットル
ミリン　1リットル

天つゆのつくり方

①天だしに濃口醤油を入れる。

②つづいてミリンを入れて火にかける。

③沸く寸前で火を止め、鍋ごと流水につけて冷まし、水分の蒸発を防ぐ。水分が蒸発すると味が濃くなってしまう。

丼つゆ

［材料］
天だし　600㎖
濃口醤油　600㎖
ミリン　600㎖
揚げ玉　適量

丼つゆのつくり方

①天だしを鍋に注ぐ。

②天だしと同量の濃口醤油を入れる。

③天だしと同量のミリンを入れて火にかける。

④強火で加熱し、6割ほど煮詰める。

⑤残った4割のつゆに、揚げ玉を味噌漉し器で入れる（写真の分量くらいが目安）。

⑥揚げ玉を漉し棒でするようにして漉す。

⑦再び沸騰させて火から下ろす。揚げ玉を入れると天ぷらとのからみがよくなり、コクが出る。

そばのだし

技術指導＝伊島 節（布恒更科）

「布恒《ぬのつね》更科《さらしな》」は、東京の更科系を代表する系譜の名店として知られる。三代目店主の伊島節氏は、昔から続く仕事の意味を自分なりに突き詰めることで、伝統を守りつつ、独自の方法論を確立している。

冷たいそばを食べるためのもり汁と、温かいそばを食べるためのかけ汁、2種類のだしを取り分ける。伊島氏は、この違いを次のようにいう。

「もり汁はからむ汁、かけ汁は飲む汁。そのために、だしを取り分けています」

そばにからむもり汁は、だしとかえしを合わせてからもさらに火を入れてねかし、かえしに含まれる味の角を取る。醤油由来の塩分や酸味などが、濃厚なだしのうま味や香りと渾然一体となったときに、はじめてそばの風味を生かすもり汁になるからである。そのため、もり汁には、加熱してもだし落ちしにくい鰹本枯節を使う。

かけ汁は、醤油らしさを生かしたいから、火入れしない生かえしに、香りの強い鰹節ではなく、コクのあるだしがとれる鯖節を使う。ごま鯖枯節を使うのが東京のそば屋の伝統である一方、昔は使われていなかった昆布のうま味も利用する。これは、醤油の塩分とよく合い、なおかつ節のうま味との相乗効果もあるからだという。

そばだしは、日本料理のだしと違い、沸騰した湯で長い時間煮出す。それは、カビ付けをした枯節を厚削りにして使用するからであり、荒節を使って同じとり方をすると、生臭さが出てしまう。

かけ

もり

もりだし

［材料］
水　30リットル
鰹本枯節
　雄節・雌節　1.5kg
亀節　2kg

鰹本枯節

雌節・雄節

枕崎産の雌節と雄節を合わせる。蒸して削ると2～3割ほどだし落ちするので、焼いてやわらかくしてから厚削りにしたものを使用する。ちなみにだし落ちとは、だしを取ったときに香りやうま味が減るという意味。

亀節

昔は、亀節のみを用いるのが一般的であったようだが、生産量減少や価格上昇などの理由から、現在は雄節・雌節と併用している。枕崎産。

もりだしのとり方

①分量の水を沸騰させ、鰹本枯節を加える。

②節が勢いよく回転するように火加減を調節し（写真）、1時間弱煮出す。

③途中、多少の泡とアクが浮いてくるので、少し取り除く。

④そのまま強火で煮出す。一般的に、約55分間で、一旦だしの出が止まるといわれているので、この時間を目安に煮る。

⑤だしをネル生地で漉す。

もり汁

［材料］
もりだし　20リットル弱（蒸発分はそのまま）
かえし*　8.1リットル
ミリン**　1.8リットル
追いミリン　900mℓ

*かえしは長野県須坂市の㈲塩屋醸造のたまり醤油を地中に埋めたカメでねかせたもの。このたまり醤油は、大豆を2年間熟成させて手絞りにしたもので、濃厚なうま味がある。

**ミリンは㈱角谷文次郎商店の三州三河みりんを使用。同製品は、本格焼酎（乙類）を使用し、長期熟成させる伝統的な製法でつくられる本ミリンだ。

もり汁のつくり方

①だしにかえしを加え、火にかける。

②ミリンを加え混ぜる。かえしとミリンを合わせた分量は、だしが煮詰まった分量とほぼ等しく、総量は30リットルとなる。

③加熱を続けるとアクが出てくる。

④鍋のふちに「窓枠」が空いたら火を止める。

⑤火を止めたのちアクを取り除く。

⑥熱いうちに半量をカメに入れ、棚に置いてねかせておく。残りの半量に、前回の仕込みからねかせておいたものを加え混ぜる。

⑦合わせたものを再び火にかける。追いミリンを加え混ぜる。

⑧アクが浮いてくるので、⑤と同様に火を止めてから取り除く。

⑨たんぽに5分目（約1.8リットル）ずつ分け、棚に戻してねかせる（写真）。翌日から使いはじめ、3日間程度で使い切るようにする。

⑩使う日の朝、たんぽに入っている汁に、かけだし（→74頁）を適量加え、味を調える。たんぽ1本分くらいが1日に使用する量の目安。

かけだし

［材料］
水　27リットル
日高昆布　2枚（35g）
ごま鯖枯節　1.2kg

かけだしのとり方

①分量の水に昆布を入れ、中火にかける。

②アクが出てきたらすくい取り（写真）、沸騰する寸前に昆布を引き上げる。

③火力を全開にして節を入れる。

④再び沸騰してきたら、節が湯の中で勢いよく回転するように火力を調節する。アクが浮いてきたらすくい取る。

⑤煮出す時間は、節を入れてから20分間ほど。白い泡（写真）はアクではないので取らない。

⑥ネル生地で漉す。

日高昆布

だしに色が出るので料理屋では避けられることも多いが、煮上がりが早く、雑味のないだしがとれる。ただし、昆布のうま味は強いので、とりすぎるとバランスが悪くなるので注意すること。

かけ汁

[材料]
*かけだし　14弱
かえし　1
濃口醤油（ヒゲタ超特選うす色）
18リットル
上白糖　3kg
*かけだし14弱に対して、かえし1の割合

かけ汁のつくり方

①かえしは、地中に埋めたカメで醤油18リットル分ずつつくる。かえしの残量が1.8リットルほどになったら、醤油、砂糖を入れて、よくかき混ぜて溶かす。カメの底の古いかえしをあまり混ぜたくないので、残量がぎりぎりになるまで、とり足しはしないという。

②とりたてのかけだしにかえしを加えて、かけ汁をつくる（写真）。だしとかえしを合わせる割合は、おおむね、だし14に対して、かえし1。合わせる割合に幅があるのは、その日のだしの出具合などによって加えるかえしの量を調節するためで、味を見て決める。そのまま飲んでちょうどよいくらいよりも、やや辛めを目安に。

ごま鯖枯節

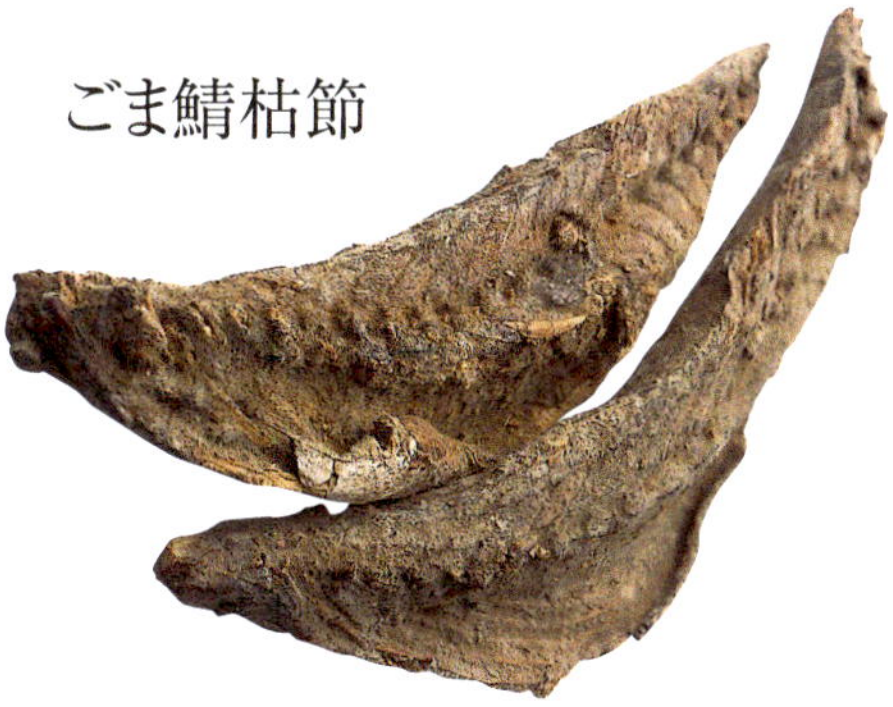

写真は、昔ながらの製法でつくられる房州産のごま鯖枯節。近頃は、近海でのゴマサバの収穫量も減り、生産者も少なくなっていることから、希少な存在である。そのため、最近は、焼津産や枕崎産を使用。

精進料理のだし

指導＝長島 博（築地本願寺 紫水）

まず、精進料理とは何か。仏教思想の戒律に基づき、魚や肉などの動物性食品と、五葷と呼ばれる素材（ニラ、ニンニク、ネギなどの香りの強い野菜）を使わない料理のことをいう。この、日本における精進料理の確立に大きな役割を果たしたのが、曹洞宗の開祖、道元禅師である。詳述は後に譲るが、中国禅宗の食事法を持ち帰り、日本の風土と食生活に合った精進料理を生み出したといわれている。近世に入ると、寺院料理にとどまらず、庶民の食生活にも普及していく。江戸期には京料理の母胎となり、茶事懐石の規範の原点ともなった。

精進料理のだしをとる場合には、主に昆布を使う。魚や肉の類が禁止されているため、鰹節や獣骨などは使うことができない。

昆布のほかには、干椎茸や大豆、干瓢などの乾物、あるいは野菜の皮を干したものを使用する。中でも、干椎茸はうま味と香りが濃厚だが、反面クセが強いため、多く使いすぎると味のバランスを壊してしまうので注意したい。

ただし、だしは鰹節などの動物性食品に比べてうま味が弱いため、単一の素材からだしをとって料理に使うのではなく、掛け合わせることによって、複雑なうま味のあるだしにすることが多い。その際、時間と手間をかけてだしをとることが大切とされている。手をかけて調理することにこそ、精進の心が表れるからだ。

干瓢

天日で干したものを使用。通常、料理で使うものは二酸化硫黄で燻してあることが多く、洗ってから使うため、だし素材には適さない。

人参・大根

料理に使ったニンジンの皮を干したもの。天日で3〜7日間干してから使用する。ダイコンなどの根菜のほか、カキの皮も利用できる。

山出し昆布

山出し昆布（真昆布）を使用する。新昆布よりも、2〜3年ほどねかせて、少し発酵しはじめたものが理想とされている。

干椎茸

できるだけ肉厚で、笠の裏側が焼けていないものがよい。裏を見て濁った茶色になっているものは、だしに臭みが出るので、避けたい。

大豆

煎ってから使用することで、香ばしさとほのかな甘みが生まれる。

煮しめ

昆布だし

昆布だしには、水につけてとる水だしと火にかけてとる煮だし、二つの方法があるが、水だしのほうが時間がかかる反面、透き通ったうま味が抽出され、甘みの引きがよい上品なだしがとれるため、主にこちらを使う。煮だしは、短時間で風味のあるだしがとれるが、深みがなく、甘みがすぐに切れてしまう。

水だし

［材料］
山出し昆布　30g
水　1.8リットル

水だしのとり方

①布かタワシを使って表面のよごれを落とし、かたく絞ったぬれ布巾でふく。水に昆布を入れて、ひと晩つける。昆布は適当に切っておくとよい。昆布を取り出してそのまま使う。

煮だし

［材料］
山出し昆布　15g
水　1.8リットル

煮だしのとり方

①昆布に水を注いで火にかける。

②65℃まで温度を上げたら、その状態を維持する。10～15分間ほど煮出す。

③ペーパータオルで漉す。

④漉した昆布だし。

干椎茸だし

干椎茸だしは、風味が強いので、吸い物には用いない。茶色く色も出るので、茶色に染みていいような煮しめなどに使うとよい。

［材料］
干椎茸　10個
水　1.8リットル

干椎茸だしのとり方

①干椎茸を水にひと晩つけておく。このつけ汁は、シイタケの風味が濃すぎて使いづらいので、捨ててしまう。

②新しく水を注ぎ、さらにひと晩つける。

③ひと晩おいた干椎茸だし。①のつけ汁よりも風味も色もやわらいだ。

*77、79頁の料理解説は207頁

お平
湯葉
大根
人参
木の芽

若竹煮
筍
若布
蕗
木の芽

筍団子餡かけ
椎茸
人参
絹さや
針生姜

椀
白味噌仕立て
小蕪
蓬麩
練り芥子

精進だし

［材料］
昆布だし（水だし）
山出し昆布　10g
水　1080ml
干瓢・干椎茸だし
干瓢　10g
干椎茸　10g
水　1080ml

精進だしのとり方

①水に昆布を加え、ひと晩つけておく。写真はひと晩おいたのち昆布を取り除いた昆布だし。

②水に干瓢と干椎茸を加え、ひと晩つけておく。

③干瓢と干椎茸を取り除いた干瓢・干椎茸だし。調理時に、①と②を同割で合わせて使用する。

吸い物用精進だし

［材料］
山出し昆布　50g
大豆　20g
ニンジン　50g
干瓢　20g
水　1.8リットル

吸い物用精進だしのとり方

①大豆は、ほうろくで煎る。表面にうっすらと色がつき、芯まで火が通るまでじっくり加熱する。テフロン加工のフライパンで作業してもよい。

②鍋に昆布、ニンジン、大豆、干瓢を入れる。

③水を加え、火にかける。

④65℃まで温度を上げたらその状態を維持し、10〜15分間ほど煮出す。

⑤そのまま冷めるまでおき、漉してから使用する。

⑥吸い物用の精進だし。

基本のだし

煮干しのだし

煮干し図鑑

片口鰯煮干し（黒）

広島産

背が黒色（青色）の煮干し。背黒または青と呼ばれることもある。黒にもさまざまな等級があり、背の色が強く比較的大型のもの、全体が光輝いている白っぽいものなど、小型のものなどいろいろである。含まれる塩分量の違いもある。

片口鰯煮干し（白）

千葉九十九里産

銀白色に光っている。小さいものから中型まで大きさは各種。関西以西の内海では、主に白（いりこ）が生産される。銀と呼ばれるものもある。九十九里産は、冬の一定の期間のみ生産されるもの。

うるめ鰯煮干し

千葉九十九里産

イワシのなかでは一番上品なだしがとれる。ウルメイワシとカタクチイワシは顔で見分けることができる。

片口鰯焼干し

青森産

青森と新潟の一部で煮物などに使われる焼干し。濃厚なカタクチイワシをさらに焼干しにしているので、コクのある強いだしがとれる。

真鰯煮干し（平子煮干し）

九十九里産

片口鰯煮干しよりも大きく、平たい。だしは濃厚で、そば・うどんのかけだしに用いられる。

うるめ鰯

片口鰯

カタクチイワシとウルメイワシの違い

口がエラブタの3/4あたりまであるものがカタクチで、頭の形が紡錘形をしている。ウルメの口はカタクチよりも小さく、あごの半分までである。頭部はぼってりとした形をしている。

煮干しは小魚を水洗いし、海水程度の塩水で煮熟したのち、乾燥させてつくる。昔は天日乾燥させていたが、現在大半は機械乾燥。非常に酸化しやすい。製造工程の乾燥段階ですでに酸化がはじまるため、酸化防止剤などの添加物を使用しているものも多い。

鰹節などに比べると、やや魚のくせが強いだしがとれる。加熱の工程には、煮る、焼く、蒸したのち燻製にするなどの方法がいくつかある。この違いでだし材料に異なった特徴が付加される。燻製にかけたものは節類として紹介しているので、ここでは煮てから乾燥させる煮干しと、焼いてから乾燥させる焼干しを紹介する。

よく知られている片口鰯煮干しは、脂質が多いので、魚のにおいがプンとする濃厚な味のだしが出る。比較的さっぱりとしているのは、脂質含量が少ないあご煮干し。アミノ酸類を多く含むので、うま味はある。九州および、北は山形までの日本海側では人気のあるだしで、うどんなどの麺つゆのほか、雑煮や清し汁などに用いられることがある。

煮干しに用いる魚は背の青い魚が多いが、中にはタイやカレイなどの白身魚の煮干しもある。それぞれ特徴があ

さっぱ煮干し

愛媛産

ママカリといわれる魚の煮干し。岡山のママカリは有名。身が薄い煮干しで、さっぱりとした味わいのだしがとれる。

鯛煮干し（レンコダイ）

島根産

白身魚だけあって、非常に淡白で上品なだしがとれる。うま味は鰹節以上という評価もある。

鯵煮干し

千葉九十九里産

マアジの煮干し。サンマと同様、だしに甘みを加えたいときに用いる。エラが黄色みがかっているものがよい。

鯖煮干し

高知産

うどんだしやそばだしにコクを与えるだし材料のひとつ。サバは燻煙して節類としても用いられる。

秋刀魚煮干し

宮城産

頭と腹を抜いて煮干しにしたもの。頭付もある。また燻製した節もある。だしに甘みを加えたいときに用いる。

あご煮干し

長崎産

トビウオのことをアゴという。脂質含量が少なく、アミノ酸類を多く含むので、淡白なだしがとれる。麺だしのほかに、雑煮だしや吸い物だしとしても用いられる。トビウオは長崎県が主産地。山陰、九州、新潟、山形までの日本海側でよく使われる。

あご焼干し

長崎産

トビウオを焼いたのち干したもの。頭と腹を抜いたものもある。あご煮干しよりも濃厚なだしがとれる。また燻製にかけた商品もある。

取材協力
㈱寿屋商店　東京都中央区築地4-13-6
☎03-3542-8981

るので、だしに個性を持たせたいときに、使い分けるとよい。

また焼干しは、煮熟せずに焼いてから干す（一部燻製にかけるものもある）ので、よりうま味が凝縮された濃厚な味のだしがとれる。ただし煮るよりも手間がかかるため、煮干しよりも割高となる。

さて和食における煮干しの主な使い方であるが、単独でだしをとることは少なく、昆布や節類などのだし材料に煮干しを加えて味を補うことが多い。

これは鯵煮干し、秋刀魚煮干し、鯖煮干しに代表される使い方だ。鯵煮干しや秋刀魚煮干しはだしに甘みが欲しいときに加え、鯖煮干しはうどんだしやそばだしなど、コクが欲しいときに足すとよいといわれている。

鮮度が落ちた煮干し・焼干しは、臭みや苦みなどを伴うこともあるので、適切な保存（冷凍保存が好ましい）のもとで早めに使い切りたい。もし酸化して黄色くなってしまったら、こげめがつくくらいよく煎るとよいだろう。

近年、ラーメンのスープに個性をつけるために用いられるようになったことからもうかがえるように、煮干しはコクがあり、持ち味がはっきりしただし素材であるといえるだろう。

うどんのだし

指導＝谷口春紀（丸香）

いりこの香りがきいただしは、香川名物、讃岐うどんの特徴のひとつ。東京に店を構える「丸《まる》香《か》」では、メニューによってだしを取り分けており、釜上げうどんに添えるつけ汁には、いりこだしの風味をしっかり感じられるようにしている。

いりこは、苦みと臭みを出さないように、頭と腹ワタを取り除いてから使う。ただし、グラグラ煮出せば簡単に風味が強くなるが、同時に臭みも出てしまう。そのため、同店では、いりこのうま味を出しつつ、さらりとした香りに仕上げるために、たっぷりのいりこを使ってサッと煮出す手法をとっている。もうひとつのポイントは温度管理。香りよりもうま味を引き出す温度を維持し、つけ汁に仕上げたあとも、湯煎にかけて保管することで、ほどよく煮詰まってうま味が増す。

昆布と鰹節は、いりこの味を引き立てる存在。さらにいえば、釜上げうどんの主役は、あくまでも麺である。だからこそ、日々変化する麺の状態に合わせて、だしの味つけも毎日調整する。うどんとのバランスがとれた味であることが第一なので、毎日、うどんといっしょに食べてみることが何よりも大事だという。

いりこ（中羽）

いりこ（小羽）

いりこはカタクチイワシの稚魚の煮干し。瀬戸内産のいりこを使い、小羽1：中羽2の割合で混合している。中羽（体長6〜8㎝）はいりこの風味が強いが少し苦みがあり、小羽（体長5〜6㎝）は風味がやわらかく甘みがあるのが特徴だ。

鰹本枯節

あくまでもいりこだしのうま味を補うことが目的。いりこだしの状態によって、水16リットルに対して240〜480g程度で毎日調整する。それでもうま味が足りない場合は、めじか節（宗田節）、鯖節、鯖節（少量）などを加えることも。

昆布

鳴門産の昆布を使う。本体のほか、尻尾の部分も併せて使用し、いりこだしの状態によって、水16リットルに対して50〜100g程度で毎日調整する。

釜上げうどん（大）

いりこだし

［材料］
水　16リットル
いりこ　1kg
昆布　75g
鰹本枯節　360g

いりこだしのとり方

① 前日、浄水器を通した水に昆布をつけておく。冬は室温で、夏は冷蔵庫に入れる。

② 当日の早朝、頭と腹ワタを取ったいりこを入れ、1～3時間程度おく。

③ 鍋を火にかける。火加減は、50～60分間で沸騰する程度に調整する。アクが浮いてきたら取り除く。

④ 90℃を超えて沸騰しはじめたところで、昆布といりこをすべて取り出す。

⑤ そのまま加熱し、100℃になったらすぐに鰹節を入れて火を止める。

⑥ そのままの状態で、5～15分間ほどおく。漉し布で漉す。

つけ汁

［材料］
いりこだし　12リットル
淡口醤油　600㎖
濃口醤油　660㎖
本ミリン　600㎖

つけ汁のつくり方

① だし以外の調味料を鍋に合わせて、湯煎で温める。湯煎することで、甘みが生きてくる。

② 80～90℃を維持して、30～60分間加熱する。沸騰させないように注意。

③ ②とだしを混ぜ合わせ、再び加熱する。

④ 沸騰直後で火を止め、すぐに冷やして冷蔵保存しておく。

*営業時は、83℃で30分間程度、湯煎保管してから提供する。当日にとっただしは、風味が変化してしまうので、その日のうちに使い切る。

調味料

ビンは左から順に、香川のマルオ醤油（濃口）、マルオ醤油（淡口）、タカラ本ミリン。手前は、別途に取り寄せる香川産の濃口醤油。

日本料理のだし

技術指導＝田村 隆（つきぢ田村）

煮干しは、魚介類を一旦煮た後、乾燥させてつくるだし材料。さまざまな材料でつくられ、それぞれに個性があるが、いずれも煮干し単独で使うのではなく、昆布と合わせたり、ベースとなるだしに追加して、コクや甘みを加えるという役割である。

ここでは煮物用、味噌汁用のだしを、片口鰯煮干しと昆布でとった。煮干しだしの一番ポピュラーな使われ方は、家庭の食卓にのぼる味噌汁用のだしである。鮮度のよいものならば、頭も腹も取らずに使ってもよいが、店で使うときは、苦みやえぐみなどが料理の味を邪魔しないように、きちんと掃除をすることが大切だという。

また少しえぐみのある材料などをお惣菜風に煮るときには、コクのある煮干しだしが合う。煮干しは材料の持つ個性や濃いめの味つけにひけをとらないうま味を持っている。

切干大根の煮物

煮干しだし600mℓに、ゆでこぼして戻した切干しダイコン60g（乾燥時）、せん切りにした油揚げ2枚を入れて火にかける。沸いてきたら砂糖大さじ1、濃口醤油30mℓ、酒30mℓを加えて落し蓋をして煮る。煮汁がなくなってきたら濃口醤油大さじ$\frac{1}{2}$を加えて香りをつける。最後に粉サンショウをふる。

煮物・味噌汁用
煮干しだし

［材料］
水　2リットル
片口鰯煮干し（黒）　50g
真昆布　10g

片口鰯煮干し

煮干しの中で濃厚なだしがとれる。乾物やえぐみのある素材などを煮るとき、または味噌汁などに使う。日本料理では使う場面はあまりないが、お惣菜や味噌汁などに用いられる。

真昆布

濃厚な煮干しを昆布がマイルドに和らげてくれる。昆布の種類は何を使ってもよい。

煮干しだしのとり方

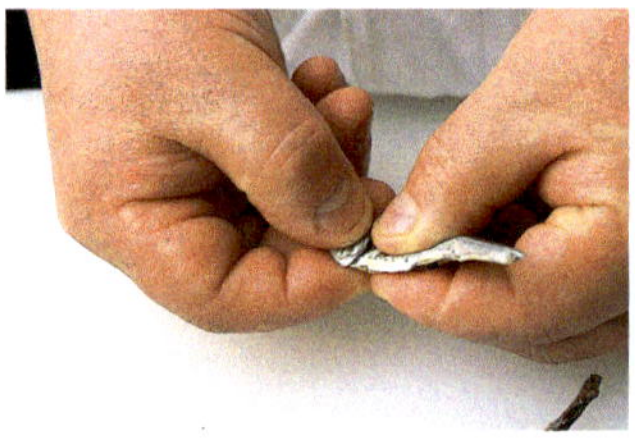

①煮干しの頭を指で折って取り除く。

②腹の部分を割って取り除く。頭と腹にはえぐみがある場合もあるので、取り除いたほうがいい。

③煮干しと昆布を、分量の水につけて2時間おく。

④火にかけて沸騰させる。

⑤アクが浮いたら取り除く。

⑥サラシで漉してだしをとる。

⑦煮干しだし。

知っておきたい

うま味の基礎知識

味の素株式会社コーポレート・コミュニケーション部　部長

二宮くみ子

執筆協力
味の素株式会社　食品カンパニー
加工食品開発・工業化センター
黒田　素央（農学博士）
川崎　寛也（農学博士）
調味料開発・工業化センター
川口　宏和（農学博士）

1 ［昆布のうま味成分］

昆布の種類によって、うま味の種類と分量に違いがあるか？

うま味はさまざまな食品に含まれるが、中でもだし材料に含まれるうま味には、それぞれ特徴がある。

昆布に含まれる特徴的なうま味成分は、アミノ酸系のグルタミン酸とアスパラギン酸で、鰹節や干椎茸のうま味に代表される核酸系のイノシン酸やグアニル酸は、昆布には一切含まれない。

だし昆布そのもの、あるいは昆布だしに含まれているアミノ酸の8〜9割は、この二つのアミノ酸で、そのほかには、ほんのわずかに穏やかな甘味のあるアラニンやプロリンなどのアミノ酸が含まれている。ワインと同様に、昆布は収穫された産地や年によってだしの味が異なるので、一概にはいえないが、同じ年に収穫された昆布のうま味成分を比較してみると、真昆布がもっともうま味成分が多く、100g中に5g程度含まれており、ついで羅臼、利尻、日高（100g中に1.8g程度）の順に続く。

しかしだし昆布中に含まれているうま味成分が多いほど、だし中にも多くのうま味成分が抽出されるかというと、必ずしもそうではない。

だしのうま味は日本人によって発見された

日本料理のだしの主要な成分は昆布のグルタミン酸、鰹節のイノシン酸、干椎茸のグアニル酸の三つが代表的なものとしてあげられる。

1908年に昆布のだしの味を担う成分がアミノ酸のグルタミン酸であることを発見したのは、日本の科学者池田菊苗だった。その後、1913年には、池田の弟子の小玉新太郎が鰹節のうま味成分としてイノシン酸を、1960年には、国中明が干椎茸のうま味成分としてグアニル酸を発見。

代表的なうま味成分がいずれも日本人によって発見されたのは、いかにだしのうま味が日本人にとって親しみがあり大切なものであったかを物語っているといえるだろう。

さらに干椎茸のうま味成分を発見した国中明は、アミノ酸系のうま味成分であるグルタミン酸と核酸系のうま味成分であるイノシン酸やグアニル酸が共存すると、飛躍的にうま味が強まるという相乗効果を発見した。昔から、昆布と鰹節、あるいは西洋料理では野菜と肉を組み合わせてだしをとってきているが、これはアミノ酸系と核酸系のうま味成分をかけあわせることによる相乗効果をうまく利用してきたといえる。

同じ温度で同じ重量のだし昆布を水につけて15分間放置したときの水だし中のうま味成分を調べてみると、羅臼、真昆布、利尻昆布、日高昆布の順にうま味成分が多く抽出される。

羅臼昆布は組織が比較的やわらかく、うま味成分が抽出されやすいのだが、昆布のぬめりの成分であるアルギン酸も抽出されやすく、短時間で取り出さないとぬめりや磯臭さが気になることがある。

組織がかための昆布は、60～70℃程度でじっくりとだしをとることで、うま味成分だけを上手に抽出することができる。

2

［鰹節のうま味成分］

鰹だしのうま味の成分は？

鰹節の中にはアミノ酸、有機酸、核酸など40種類以上の成分が含まれている。これらの成分の中で鰹だしの味をつくり出すのにとくに大切な役割を果たしているのは、うま味成分であるグルタミン酸、イノシン酸。その他の成分として、ナトリウムイオン、塩化物イオン、乳酸、ヒスチジンなどである。グルタミン酸はうま味に関連するだけではなく、甘味、味の持続性、コクやまろやかさに、イノシン酸はうま味、塩味、持続性、コク、まろやかさに、ナトリウムイオンは塩味だけではなくコクにも関与している。鰹だしに非常に多く含まれている乳酸は酸味に関与している。

魚介類においてもっとも重要なうま味成分として知られているのはイノシン酸である。イノシン酸は鰹節の製造工程、とくに最初の煮熟（加熱）の工程で生のカツオに含まれていたATP（アデノシン・3・リン酸）がAMP（アデノシン・1・リン酸）に変化することで、もとの生肉の約30倍近くまで増加する。巻網で捕獲されたカツオは船上に運ばれて処理されるまでの間にピチピチと暴れることによって、筋肉中に含まれるエネルギー源であるATPを消費してしまう。

上質な鰹節の素材となるカツオは一本釣りで捕獲されるが、一本釣りの場合は、処理工程までの間のカツオの暴れ方が穏やかであるため、ATPの残量が多くなり、鰹節の製造工程の加熱処理後でも、イノシン酸の量は多く残ることになる。

鰹節のアミノ酸分析結果を見ると、うま味のあるグルタミン酸とアスパラギン酸、そして非常に多くのヒスチジンが含まれていることがその特徴としてあげられる。ヒスチジンそのものは苦味のあるアミノ酸だが、鰹だしの中では、酸味に関与しているといわれている。

それぞれの成分一つひとつの味は、うま味、塩味、酸味や苦味などさまざまだが、鰹だしの中では、それらが複雑に絡み合って、コクやまろやかさなどが引き出されている。

鰹節は世界中でもっともかたい食品といってもよいほど水分量が少なく、うま味が濃縮された食品で、長期保存がきくことが特徴だが、これを薄く削ってだしの素材に使うという習慣は、日本独特のものだ。

薄く削った鰹節からだしをとるために、昆布だしに浸漬されている時間は、一番だしではわずか数秒から長くても数分間がせいぜいである。

鰹節はもともと素材そのものにうま味が濃縮されていることと、そして薄く削ることで湯につかる表面積が大きいのでうま味が抽出されやすいなど、だしをとるにはとても効率のよい食材ということができるだろう。

3

［煮干しのうま味成分］

煮干しのうま味成分と香りの成分は?

煮干しにもっとも多く含まれているうま味成分はイノシン酸である。通常煮干しと呼ばれるものはカタクチイワシを原料とする。一般的に、肉や魚にはイノシン酸が多く含まれているが、煮干しの製造工程において、水分が失われると同時にうま味成分であるイノシン酸が濃縮されていく。グルタミン酸の量はイノシン酸の約1／10程度しか含まれていないものの、グルタミン酸とイノシン酸の相乗効果によって、煮干しだしのうま味がぐっと強まってくる。

それでは香りの成分はどうだろうか。煮干しそのものは、だしをとる前から強いにおいを持っている。煮干しは通常、くん煙処理を行なわないので、鰹節にみられるようなグアヤコールなどのくん臭成分は存在せず、カルボニル成分が多いといわれている（鰹節の約20倍）。カルボニル成分の中では、プロパナール、ブタナール、ペンタナールなどのアルデヒド類（単体では青臭いにおい）が多いのが特徴としてあげられる。塩基性化合物では、トリメチルアミンが多いのも煮干しの特徴である。

これらは、抽出量が多いと好ましいにおいと感じられないこともあるが、煮干し特有のにおいとして好む人もいる。

また、煮干しは保存状態が悪いと油焼け臭と呼ばれる異臭を生じるが、油焼け臭は油脂の自動酸化により生じたアルデヒドが、アミノ酸、アミン、アンモニアなどと反応して生じるといわれている。紫外線、高温、（水分活性）、金属イオンなども油の酸化を促進する一因となるようだ。

4

［干海老・干貝柱のうま味成分］

鰹節と干海老・干貝柱のうま味の違いは?

アミノ酸であるグルタミン酸のほかに、干海老、干貝柱（ホタテガイ）に含まれるうま味成分としての特徴は、核酸系のうま味成分であるアデニル酸が含まれているということである。核酸系のうま味成分は、魚介類の筋肉中に含まれていたエネルギー源であるＡＴＰ（アデノシン・３・リン酸）が死後分解することによって生成されるが、エビ、カニや貝類、イカやタコでは主にアデニル酸が蓄積され、魚類ではイノシン酸が蓄積されることが知られている。

干海老や干貝柱にはアデニル酸がうま味成分として含まれているが、魚類に多いイノシン酸は含まれていない。このため、干海老や干貝柱は、鰹節とは違ううま味を持つことになる。

そのほかに干海老、干貝柱にみられる特徴的な成分としてはアルギニン、グリシン、ベタインやアラニンなどがあげられる。ただしこれらはうま味成分ではない。アルギニンそのものは苦味のあるアミノ酸で、アルギニンの役割は、塩味やうま味、持続性、複雑さやコクなどに関与しているといわれている。アルギニンが本来持っている苦味は、塩分やグルタミン酸、アデニル酸などによって抑制されたり、グリシンやベタイン、アラニンなどは甘味を引き立てる役割があるといわれている。

干海老と干貝柱に含まれている成分はよく似ているが、微妙に異なる含量や成分同士の相互作用によって、それぞれの独特の味が引き出されているといえるだろう。

ちなみに干海老、十貝柱に含まれる核酸系のうま味成分（アデニル酸）は、グルタミン酸と合わせるとうま味が強くなる。したがって干海老、十貝柱を野菜類のグルタミン酸などと合わせると、うま味の相乗効果が期待できる。

5

［鰹節の香り成分］

鰹節の特徴的な香り成分は何によるものか?

鰹節の香りは非常に複雑で、数十種類以上の有効成分の組み合わせにより形成されている。ここでは代表的な成分に絞って紹介していこう。

カビ付けをしていない鰹節（荒節）の香りは、主にくん臭（燻製のにおい）、肉質臭（加熱した魚肉のにおい）、ロースト臭（加熱調理時に生じる香ばしいにおい）などに分けられる。

くん臭としてはフェノール類が関与し、その中でもグアヤコール、４―メチルグアヤコール、2,6―ジメトキシフェノールがとくに重要といわれている。肉質臭としては硫化水素、ジメチルスルフィドなどの硫黄元素を含む成分が、ロースト臭としてはジメチルピラジンなどが、それぞれ関与している。

これらの成分は、鰹節をつくる工程、とくに焙乾（燻して乾燥させる）工程で少しずつ生成される。また、トリメチルアミンなどのアミノ酸類は、魚臭さに寄与する不快臭成分だが、適度に存在すると、鰹節の特徴を引き出すため、鰹節の香りに少なからず影響しているようだ。

カビ付けをした枯節の香りはさらに複雑になる。枯節は荒節の表面を削ることで、くん臭成分の総量が減少する。ここにカビを付けることにより、くん臭成分自体が、一部化学変化を起こし、ベラトロールなどの香気成分が生成することが新たに知られている。カビ付けをしていない荒節に比べ、枯節のくん臭がマイルドに感じるのは、そのためといわれている。

鰹節以外の節として、鮪節、鯖節などがある。鮪節はスッキリとしていて、甘い肉質臭が強く、鯖節は雑節特有のやや生臭い香りが特徴としてあげられる。

このように官能的には各種節類の香りには差があるのだが、それぞれに特徴的な成分や鰹節との明確な成分差異は、残念ながら今のところ見つかっていない。今後の研究課題ということになるだろう。

6 鰹節はなぜ日持ちする?

［独自の製造方法による鰹節の保存性］

鰹節は、カツオの生肉を煮熟（煮る工程）、焙乾（燻して乾燥させる工程）、カビ付けをしてつくられる（→14頁）。それぞれの工程は、鰹節の保存性において大変理にかなったものであることが知られている。煮熟によってカツオの肉のたんぱく質は変性し、もともとカツオに含まれていた酵素は失活する。

その後の焙乾工程では、くん煙の中に含まれているギ酸、プロピオン酸などの10種類以上の酸は菌の繁殖を抑え、フェノール化合物は菌の繁殖を抑制したり殺したりして酸化を抑えるなど、鰹節の保存性を上げるためにさまざまな効果がある。

鰹節の製造に用いられるカビは、アスペルギルスリーベンス、アスペルギルスグローカスと呼ばれる種類のもので、これらの菌が鰹節の表面を覆うことで鰹節を腐敗菌から守ることができる。また、これらのカビは鰹節の水分を吸収してくれるので、焙乾後の鰹節はさらに保存性が上がる。同時に水分が減少することによって、鰹節に含まれているうま味成分が濃縮され、相対的にうま味が増すことになる。

鰹節が製造されるようになったのは、室町時代の終わりから江戸時代の初めといわれているが、ほかに類をみないほど保存性の高い食品であったからこそ、この時代でも薩摩や土佐などの産地から京都や江戸まで運ぶことが可能になり、だしの文化が形づくられていったということができるだろう。

　一旦削った鰹節は、表面が空気に触れて酸化してしまうし、香りが飛んでしまうので、長期保存には向かない。

7

［鰹節の削り方］

鰹節はなぜ薄く削るのか？

たとえば一番だしをとるさいに、鰹節を節のまま昆布だしの中に入れても、味も香りもほとんど出ないことは、みなさんも容易に想像できるだろう。

　では同じ分量の鰹節をできるだけ薄く削ったとするとどうだろう。鰹節はそれだけで嵩だかになり、薄く削られた鰹節の表面からは香り、そしてうま味成分ともに非常に効率よく抽出されることになる。

　鰹節は、もっとも水分含量が少ない食品のひとつといわれている。つまり非常にかたい食品というわけだが、かたいからこそ、大工道具として知られるカンナと同じ機能を持った鰹節削り器を使って、非常に薄く削ることができるのだ。

　同じ分量の鰹節でも、その削り方が薄ければ薄いほど表面積は大きくなる。表面積が大きくなれば、それだけ香りの成分は空気中に出やすくなるということになる。ちなみに鰹節削り器は、いかに薄く削ることができるかということが、その良し悪しを決める要因となっている。

　鰹節は、保存性だけでなく、その使い方も大変理にかなったものであり、昆布とともに日本人が世界に誇れる優れただし素材ということができる。

8

［乾燥すると変化するシイタケの成分］

生シイタケに比べて干椎茸でよいだしがとれるのはなぜか？

干椎茸の戻し汁は、精進だしなどにも使われているが、生のシイタケでは干椎茸のようなだしをとることはむずかしい。これは生のシイタケには、うま味成分がほとんど含まれていないためである。それではなぜシイタケを干すとうま味成分が生じるのであろうか？

　干椎茸のうま味成分は、グアニル酸だが、生の状態では、グアニル酸はほとんど含まれない。生シイタケの細胞の中にあるリボ核酸という物質が、酵素の働きによって分解されると、グアニル酸に変化する。

生シイタケの細胞の中では、酵素とリボ核酸は別々の場所に存在しているので、リボ核酸がグアニル酸に変化することはないが、生シイタケを干す過程で、水分が失われていくと細胞が壊れるために、酵素がリボ核酸と直接接触できるようになり、うま味成分であるグアニル酸がつくり出されるのである。

したがって、干椎茸にはうま味成分であるグアニル酸が含まれることになり、だしの素材として使われるようになったのである。

9

[干椎茸の酵素の働き]

干椎茸は冷水でゆっくり戻したほうがよいのはなぜ?

干椎茸のうま味成分であるグアニル酸は、生シイタケを干す過程でリボ核酸が変化してつくられるのだが、生シイタケに含まれていたすべてのリボ核酸が、乾燥過程でグアニル酸に変化するわけではない。干椎茸の中には、グアニル酸に変化しきれなかったリボ核酸も含まれている。干椎茸を戻す過程でこのリボ核酸が、酵素の働きでグアニル酸に変化してだしに溶出するのである。ちなみにこの酵素はたんぱく質なので60℃以上で変性し、不活性化してしまう。酵素がほどよく働くのは、30〜40℃とされている。

それでは、グアニル酸の溶出について、常温の水、お湯、低温の水で比べてみよう。

常温の水に干椎茸をつけて戻すと、干椎茸に含まれているリボ核酸は酵素の働きでグアニル酸に変化するが、それと同時に、グアニル酸を分解する酵素も働いてしまうので、結果的にグアニル酸の量は減ることになる。

お湯で戻した場合には、干椎茸に含まれている酵素は熱で壊れてしまうので、グアニル酸はつくられなくなってしまう。

低温の水で戻した場合は、酵素は壊れないが、温度が低いために酵素がうまく働かない。干す過程で変化したグアニル酸は溶出するが、干椎茸中に含まれるリボ核酸はグアニル酸になることなくそのまま残される。しかし調理の段階で、高温になる直前の僅かな時間に一気に酵素が働いて、グアニル酸の量が増加する。

ゆえに干椎茸を加熱料理に用いる場合は、冷蔵庫でじっくりと戻した干椎茸を使えば、常温で戻したものよりも多くのうま味物質が調理の過程でつくられることになる。

10

［だしに適した水の硬度］

だしをとる水は、軟水と硬水のどちらが適しているか？

水の硬度を決定するのは、水に含まれているカルシウムとマグネシウムの量である。これらを炭酸カルシウムの重さに換算してmg／リットルという形で表現した数字が水の硬度となるわけだが、WHO（世界保健機構）では、硬度60未満を軟水、硬度180以上を硬水と定義している。一般的には硬度100未満を軟水、100以上300未満を中硬水、300以上を硬水と呼んでいる。

日本の水（以下水道水をさす）の多くは、硬度20～80程度の軟水で、日本料理の要であるだしが誕生した背景には、この豊かな軟水があった。軟水は、水自身に含まれているミネラル分が少ないぶん、素材に含まれているうま味成分が溶け出しやすいので、日本のだしのように短時間でとるのに適しているというわけだ。

同じ日本の水でも、関西では硬度40以下、関東では70～80程度と水質が異なり、同じ素材を用い、同じ調理条件下であっても、うま味成分の抽出量は違ってくる。

利尻昆布を用いて、ほとんどミネラル分を含まない超軟水でだしをとった場合、調理温度や加熱時間がまったく同じでも、通常のだしに比べてプロリンやアラニンといった甘味のあるアミノ酸の抽出量が多少増えることで、だしの味が微妙に変化する。

また、硬度の高い水は、魚の臭みを抑えることが知られている。日本全国の水道水の硬度を調べてみると、関東、四国、沖縄地方は、ほかの地域に比べると硬度がやや高めの傾向にある。これらの地域でだしの素材として鰹節以外の節類や煮干しが使われているのは、このような背景も関係していたのだろう。

11

［だしが濁るわけ］

だしをとっている最中にかき混ぜたほうがいいか？

料亭ではきれいに澄んで、すっきりした味わいのだしが吸い物などに使われる。もし、このように澄んだだしをとりたいならば、かき混ぜないほうがいいだろう。

家庭などでだしをとる場合、昆布だしに鰹節を入れた段階で濁ってしまうことがある。これはなぜだろうか。だしが濁る原因については、まだすべてが科学的に解明されたわけではないが、鰹節に含まれている脂肪が濁りの原因のひとつであるといわれている。

だしをとる工程で、鰹節を入れたあとは、かき混ぜたりせずに静かに放置してから漉すとされているが、これは鰹節の表面から脂肪球が外に逃げ出さないようにするためにも大事だ。ここで攪拌したり、激しく加熱すると、鰹節の表面にある脂肪球がだしの中に流出して拡散するので、だしが濁ってしまう。

フランス料理で澄んだコンソメをとるときも、火加減に注意し、決して沸騰させない。これは澄んだだしをとる場合と同じことで、強火で加熱し、沸騰させると、肉に含まれている脂肪球がコンソメに流出し、濁ってしまうので、それを防ぐためである。

12

鰹節を水だししたらどんなだしがとれるか?

［鰹水だしの特徴］

水だしとは、昆布などのだし素材を、加熱せずに水につけておくことでうま味成分を抽出したもので、一般的には、加熱によって抽出されるだしと比べて、不要な成分が少ないといわれている。鰹節の水だしは、歴史的には1668年に出された『料理塩梅集』などにも記載されており、古くから行なわれてきた方法であることが知られている。

水だしの研究は、鰹節本枯節の薄く削ったもの、粉末状のものを用いてつくったものにおけるイノシン酸の抽出量を調べたものが報告されている。

水だしのつくり方は、水に対して節を4%ほど使用し、①冷蔵庫中に48時間放置したもの、②室温で24時間放置したもの、③通常の方法で1分間ほど加熱したものの3通りを用意し、味や香りを比較してみると、濃厚な味が得られるのは、加熱しただしだが、生臭みや渋味が少ないのが水だしの特徴であることがわかっている。香りも加熱しただしのほうが強いが、その中には生臭みも含まれるので、総合的に判断すると水だしのほうが、だしにとって好ましくない味や香りが少なく、よい評価が得られている。ちなみにうま味成分の抽出量は水だしは、加熱しただしの約90%程度である。

煎茶やコーヒー、紅茶などの水だしも同じような原理で、時間はかかるが不要な成分が出ないという共通した利点があるといえるだろう。

現在報告されている知見では、水の硬度についてはあまり検討されていないが、水の硬度も水だし中のうま味成分抽出量に大きく影響を与えると思われる。今後の研究に期待したいところだが、実際に水だしがプロの料理人の方々にあまり利用されていないということは、日本料理における鰹だしは、やはり香りを重視するからなのだろう。

13

［脳への味覚伝達］

うま味を感じるのは、舌のどの部分？

昔からよく甘味は舌先、酸味は舌縁部、苦味は舌根部、塩味は舌全体で同じように感じるといわれてきたが、近年の研究では、それほど単純なものではないことがわかっている。

味覚は舌で受容された味情報が味覚神経を介して脳に伝えられることで感じる、甘い、すっぱいなどの感覚をさす。味覚神経には舌の前半からのびる鼓索神経、舌の後半からの舌咽神経、舌のつけ根奥の咽頭部からの上喉頭神経、上アゴ奥の軟口蓋からの大浅錐体神経がある。それぞれの神経はすべての味質に応答するが、鼓索神経は塩味や甘味によく応じ、舌咽神経は酸味や苦味、うま味によく応じるとされている。また、上喉頭神経は水に応答し、大浅錐体神経は甘味によく応答するとされている。

官能評価においては、ショ糖（砂糖）、食塩、酒石酸（酸味）、硫酸キニーネ（苦味）、グルタミン酸ナトリウム（うま味）の水溶液を直径6㎜ほどの小さな円形濾紙に浸して、舌の各部位で味を感じるかどうかを調べたところ、わずかな差はあるものの、甘味、塩味、酸味、苦味は舌全体で感じており、うま味は舌の奥のほうで強く感じることがわかった。

すなわち、うま味はとくに舌の奥のほうで強く感じられ、それは味覚神経レベルでも高い応答性を示しているといえるだろう。

うま味を感じる部分は、舌のつけ根に近い奥のほうにあるため、うま味の強いだしを飲むと、飲み込んだあとに、舌の奥にわき上がるようにうま味が広がるのかも知れない。

14

［うま味とあと味の特徴］

椀物などの汁物を「おいしい」と感じるのはなぜ？

一般にうま味は、ほかの基本味と比べると味の持続性が高いということが特徴にあげられる。つまり、うま味は、口の中に余韻として残りやすいということである。

基本味である甘味、酸味、塩味、苦味、うま味について、官能評価の専門家によって口の中で感じる味とその時間による感じ方について調べた結果を比べてみよう。これは、砂糖、食塩、うま味調味料、酒石酸などの水溶液を口に含み、口中にまんべんなくいきわたらせて、飲み込むか吐き出したあとに口の中に感じる味の強さを5秒おきに100秒間評価を測定した結果である。

酸味は口に含んだとたんに強い味が口の中に広がるが、その後急速に口の中から消えていく。レモンや酢の物が口の中をすっきりさせる理由のひとつとして、酸味は持続性がなく、比較的早くその味が消えていくことがあげられる。

また、塩味は酸味よりも多少長く持続する。甘味は塩味より長く、苦味はさらに長く、その味が持続するといわれている。

それではうま味はどうだろう。先にのべたように、口に含んだときに感じるうま味は、ほかの基本味よりも長く続く。これは一般にあと味といわれているもので、だしのきいた椀物や味噌汁などの余韻が食事のあとも口の中に残るのは、このようなうま味の特徴によるものだ。

うま味は食事の余韻を残し、食後の満足感を与える要因のひとつでもある。私たちの食生活においても、日本料理を食べ終えて「おいしかった」と感じる満足感は、だしが引き起こしている場合が多いといってもよいだろう。

15

［うま味と塩分のおいしいバランス］

うま味を強く感じる塩分濃度は？うま味の濃度と塩味の濃度に相互関係はあるのだろうか？

味覚の伝達は、通常舌から味覚神経を経て脳に伝えられる。グルタミン酸による味覚神経の応答は、0・59％の濃度の塩分があることでもっとも強まることがわかっている。

一般的な吸い物の塩分濃度は0.8％程度だが、これは私たちがだしが入っている吸い物を飲んだときに、おいしいと感じる塩分濃度ということになる。先ほどの0・59％よりも塩分濃度は高いが、この濃度でも充分にうま味増強効果が認められる。ちなみに、塩分濃度0.1％以上、1.0％以下でうま味の増強効果がみられるという報告がある。

したがって、吸い物の塩分濃度は、うま味が充分に強調されると共に、適切な塩味を感じられる濃度であると考えられる。

また、カニの味成分のひとつであるアラニンというアミノ酸や、ウニの味成分のひとつであるメチオニンというアミノ酸も、この濃度の塩分を加えると味覚刺激が強められる。さらにこの濃度の塩分は、グルタミン酸とグアニル酸（干椎茸のうま味成分）の相乗効果も強めるとされている。

うま味の濃度と塩味の濃度の相互関係に関しては、うま味の濃度が低いほど、塩味によるうま味の増強効果が高いようだ。だしを使わずに汁物をつくるときに、塩でうま味を引き出すといわれるが、うま味成分の量自体は塩分を加えることで変化はしないと考えられている。したがって、「うま味を引き出す」ということは、塩によるうま味増強効果を利用して、食材に含まれるわずかなうま味を「感じられる強さまで増強している」ことになるのだろう。

16

［うま味の減塩効果］

人の味覚上、うま味が多いと塩分を抑えることができるのか？

うま味成分であるグルタミン酸自体が、塩（NaCl塩化ナトリウム）による刺激（舌から脳への味覚情報）を減少させるかどうかは不明だが、うま味成分を含んだポテトスープの好ましさを、0.3％、0.5％の二通りの塩分濃度の違いで官能評価してみると、2種類のスープの好ましさには、差がなかったという報告がある。

このことから、うま味が存在すれば、薄い塩味でも充分おいしく感じられるといえるだろう。また、うま味調味料（グルタミン酸ナトリウム）はナトリウムイオンを含むが、ナトリウムイオンによる塩味を感じられるほどの高い濃度で使用することはないので、うま味調味料で塩の代用をすることはむずかしい。

塩は動物や人間の身体にとって必要な物質であるため、極端な減塩は生理学的にも困難だが、健康のために普段から塩分控えめの食事を好む人も多くなっている。

うま味の効いただしを上手に料理に活用することで、強い満足感が生まれ、塩分を控えた食事でも満足することができると考えられる。

17

［最近わかってきただしの効能］

だしを効かせると脂分を抑えることができるか？

ラットに鰹だしを含んだ餌と、脂分を含んだ餌を同時に与えると、脂分を含んだ餌を食べる量が減少する。このことは、鰹だしがある種の満足感をもたらすことで、脂をもっと食べようと思う情動が抑えられたことを示している。

また、脂分を摂取すると脳内に快感物質が出て、「おいしかった」という強い記憶が残ることがわかっている。近年の研究で、鰹だしとデンプンを合わせたものでも同様な記憶が残ることがわかってきた。ただし、うま味成分（アミノ酸）だけではこのような効果はなく、鰹だしとして摂取して、はじめて効果があることが明らかとなっている。

うま味成分を含む食材は数多くあり、これらがすべて強い記憶を残すかどうかは不明だが、それぞれの風味を生かすことで、脂に匹敵する快感を得ることも可能であると考えられる。今後詳細な研究が必要だが、一食のメニューの中にうま味成分を含む食材を適切に使うことで、脂分を抑えても、食べ終わったあとに、充分な満足感を得られる可能性は高いといえるだろう。

伝統的なフランス料理は、ソースで食べるものといわれてきたが、最近ではバターやクリームを一切使わないシェフもいるようだ。また日本料理を学ぶフランス人シェフも多くなり、これらのシェフたちがバターやクリームを使わずに、素材本来の持ち味を生かし、だしを活用するような場面が見られるようになってきたのも、脂分を控えても満足感が得られるということに関連しているのかもしれない。

今後、科学的な裏づけが得られることで、よりいっそう和のだしが注目を浴びることが期待されている。

18
だしのコクとまろやかさは、どんな成分が関係しているのか?
［コクに関与するペプチド］

鰹節と煮干しを例にあげて考えてみることにしよう。鰹節、煮干しは、昔からだし素材として日本中で愛用されている。全国各地でその風土や食材、調理法に合った素材が使われてきた。中でも煮干しは、使用する原料の魚種が多く、地方によってさまざまな種類がある。とくに九州や、四国の一部などでは欠かすことができないだし材料だ。

鰹節と煮干しにおける共通の特徴は、アミノ酸であるヒスチジンが非常に多く含まれていることだ。ヒスチジンは、背が青い魚といわれるイワシ、サバ、サンマなどの魚や、カツオなどの回遊魚に大変多く含まれているアミノ酸である。そのほかのアミノ酸では、プロリン、アラニン、グリシンなどの甘味のあるアミノ酸やうま味成分であるグルタミン酸が多い。そして背の青い魚と回遊魚にはイノシン酸が大変多く含まれている。

それでは双方の相違点はどこにあるのだろうか?

煮干しの場合は、鰹節と比べると、コクやまろやかさに関係するといわれているペプチド（アミノ酸がいくつか結合したもの。主にグリシン、グルタミン酸、アラニンからつくられている）を多く含んでいることがわかっている。そのかわり鰹節は、煮干しと比べると、イノシン酸のうま味が非常に強く出ている。

うま味成分に加えて、ペプチドによるコク、まろやかさなどしっかりとした力強いだしがとれる煮干し、すっきりとしながらも強いうま味のあるだしがとれる鰹節、どちらもそれぞれのだしを特徴づけるもので、これらを使った地方料理の特徴にも密接につながっている。

19

[トマトのうま味成分]

トマトはグルタミン酸が多いというが、昆布がわりに和風だしに使えるか?

トマトに含まれるうま味成分は、アミノ酸であるグルタミン酸とアスパラギン酸で、いずれも酸味、あるいはうま味のあるアミノ酸である。この二つのアミノ酸は、だし昆布にも多く含まれている。

グルタミン酸は、昆布のうま味成分として広く知られているが、実は昆布だけではなく、広く多くの食品中に含まれている。また昆布におけるグルタミン酸に対するアスパラギン酸の割合は利尻、羅臼、真昆布、日高など昆布の種類によって異なる。

トマトのモデルエキス*はグルタミン酸、アスパラギン酸、クエン酸、果糖等、数種類の成分で再現されることがわかっているが、中でもグルタミン酸とアスパラギン酸の比率はトマト味を再現するために大切な役割を担っていて、その比率が4対1のときに、もっともトマトらしさが出るといわれている。うま味成分だけをとりあげると、トマトは昆布のかわりに使えそうに思える。

トマトも昆布もうま味成分が多いという共通点はあるものの、トマトの場合は昆布よりも酸味成分が多く含まれているので、そのまま昆布だしの代用として使うのはむずかしい。しかし三杯酢などへの利用など、工夫次第で、このうま味を生かすことはできるだろう。


*モデルエキス/実験室でグルタミン酸やアスパラギン酸等の試薬を水に溶かしてつくることができるトマトの味がする透明の液体のこと。

20

［鰹だしの健康効果］

鰹だしには疲労回復効果があるか？

カツオは時速30〜50㎞で一生の間泳ぎ続ける。カツオの泳ぎを止めてしまうと死んでしまうということも知られている。このカツオの活力はいったい何によるものなのだろうか。

カツオの筋肉の中には、何らかの疲労回復物質が含まれていると考えられている。アンセリンやカルノシンという物質（2種類のアミノ酸が結合したジペプチド）は、疲労回復物質、あるいは抗疲労物質であることが報告されており、この二つの物質はカツオやマグロなどの赤身に多く含まれている。

しかし最近の動物実験では、アンセリンやカルノシン自体よりも、鰹だしそのものが疲労回復効果を示すことがわかってきた。鰹だしの中のどのような成分が効果を発揮するのかについては、残念ながら今の段階では解明されていないが、鰹だしの中にはアミノ酸、ペプチド、有機酸、核酸など多くの成分が含まれる。これらの成分の複合効果として疲労回復効果があるのではないかと推察されているが、その詳細については今後の研究に期待したいところである。

鰹だしは日本料理に欠かすことができないもの。１０００年以上もの長い間、受け継がれてきたのは、ただ多くの食材をおいしく食べるためだけではなく、健康な生活のためにも一役かっていたためと考えられる。風邪や食欲不振のときに沖縄で飲まれてきた鰹湯（カチューユ）、鹿児島に伝わる茶節なども、このような鰹節の効果を経験的に利用してきたものといえるだろう。

21

［貝類のうま味成分］

貝類の濃厚な味を生かす調理は？

アサリやハマグリのうま味成分としては、グルタミン酸やアデニル酸に加えてコハク酸が含まれていることが特徴として挙げられる。

コハク酸は貝類のうま味成分として知られているが、グルタミン酸やイノシン酸、グアニル酸、アデニル酸とは異なり、わずかに渋味がある。また、アサリに含まれるうま味成分のひとつであるグルタミン酸は季節によって変動し、春から初夏にかけての旬の時期には多く含まれることが知られている。

貝類そのものを味わうには、味をとじ込めてしまう、蒸す、焼くなどの調理法がよく、溶出するうま味成分を味わうには、ハマグリの潮汁などの吸い物がよいだろう。

だしを味わう日本料理

瓢亭

高橋英一
高橋義弘

解説175〜179頁

創業から400年の歴史を持つ「瓢亭」のだしは一番だし、二番だし、八方だしの3種類。非常にオーソドックスなラインアップだが、そのとり方は独特だ。いずれも「だしは料理の土台。既成概念にとらわれず、自分がよしとするものを使うべき」とする、当主・髙橋英一氏が追求し、行きついた手法である。

「たとえば、以前はだしに鰹節を使っていましたが、私は独特の風味がどうもすっきりさに欠けると感じていました。そこで、乾物業者に相談するなどしてたどり着いたのが、鮪節を使う方法。生臭さやえぐみが少なく、澄んだだしが得られます」と髙橋氏は話す。使いはじめた当時は、鮪節を使う料理店がまだ少なく、品質も一定ではなかった。そこで鹿児島・枕崎の生産者に、うま味がより上品な本枯節の製造を働きかけるなど試行錯誤をした結果、納得のいくものが手に入るようになったという。

その鮪節だが、ベースとなる一番だしには、荒節と本枯節（ともに血合い抜き）を合わせて使う。持ち味が違う二つを組み合わせることで、すっきりした味の中にも、複合の味とまろやかさが出てくるのだという。

また、これらだし材料をたっぷりと使う点も瓢亭の特徴で、一番だしなら、水8升（14・4リットル）に対して鮪節を350g、利尻昆布も380g使う。驚くほどの量だが、「今のうちの料理には、この量が必要なのです」と髙橋氏。昆布を前日にタワシでざっと水洗いしているのも、ひとつはだしに必要以上の塩気をつけたくないため。自然とだしに塩味がつくほど、昆布の量が多いのである。

父の英一氏とともに調理場に立つ長男の義弘氏は、自店のだしについて「〝素材を生かす〟と言いますが、素材の風味が強いほど、だしもそれに見合ったうま味がなければバランスが悪い。バランスがよければ、だしに素材の味がグッと出てきますし、だしがしっかりしているぶん調味料も少なくて済むため、結果的に素材が生きてきます」と話す。

柔軟な姿勢でだしに向き合う瓢亭で、最近一番だしの引き方が変わった。昆布と水を火にかけ、65〜70℃になったら、その温度を小1時間保つのだ。これは、義弘氏が参加する勉強会で行なった実験で、その温度帯がだしに最も雑味が出ず、うま味が出ると科学的に実証されたため。さっそく店に反映させたのだという。

「だしに〝これが正解〟はありません。自分が納得できるかどうかが大切で、納得できれば新しい手法もどんどん採用します。息子も、彼の代には自分がよしとするものに変えていけばいいのです」と当主は語る。

一番だし

［材料］
利尻昆布（礼文・香深浜産）　380g
鮪節（同割の荒節と本枯節。血合い抜き）　350g
水　8升（14・4リットル）

①前日に、昆布の表面を水で手早く洗い、竹の皮で束ねてひと晩吊るしておく。
②鍋に水を張り、昆布を入れて加熱する。
③温度計を使い、65〜70℃になったらその温度を保ちながら小1時間静かに煮出す。
④昆布を取り出し、火力を強めて温度を上げる。
⑤沸騰直前にブレンドした鮪節を加え、静かに沈める。アクをすくい、火を止めてそのまま20分間ほど静置する。
⑥ネル生地で漉す（自然に漉し、絶対に絞らない）。

用途
吸い地（椀物用）
和え物
割りだし用

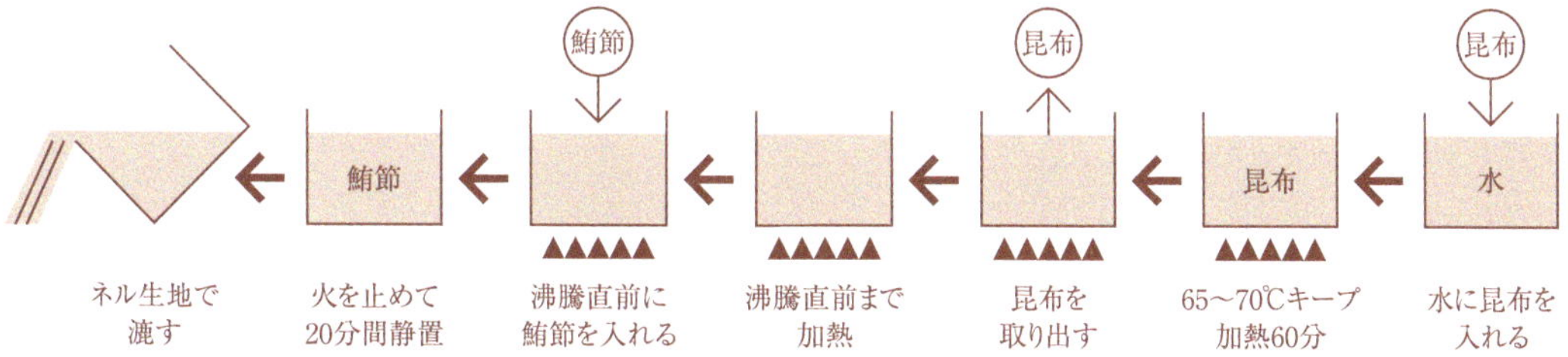

二番だし

［材料］
一番だしのだしがら
水　約5.6升（約10リットル）

①鍋に水と一番だしを引いた後の昆布と鮪節を入れ、火にかける。
②沸騰したら20〜30分間煮立てる。
③火を止めて昆布を取り出す。ネル生地で漉し、しっかり絞りきる。

用途
白味噌仕立ての椀の吸い地
椀種を温める時のお湯代わり
ゆでた野菜の下味に

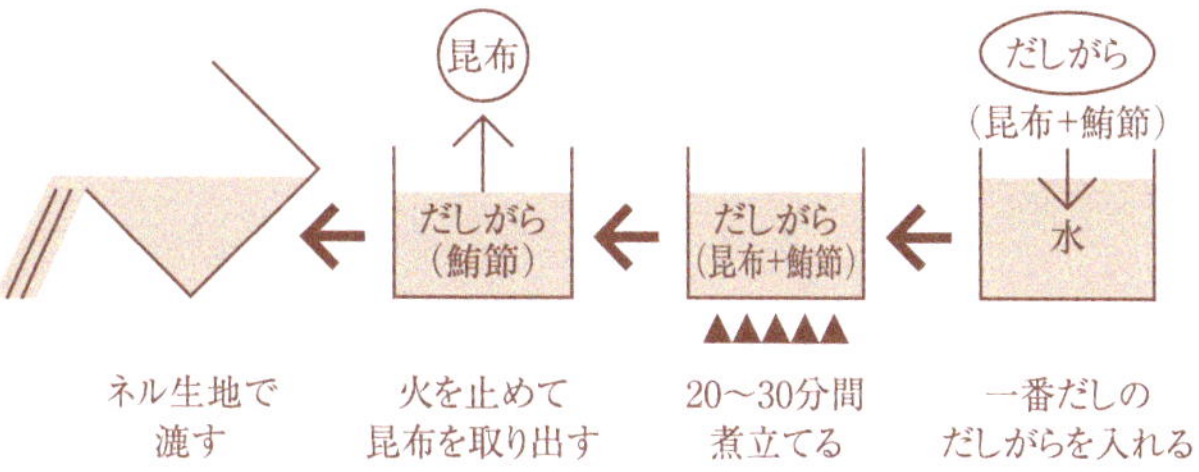

八方だし

［材料］
二番だし　8升（14・4リットル）
鮪本枯節（血合い抜き）　350g
酒　800mℓ
ミリン　400mℓ

①二番だしを加熱し、酒、ミリンを加える。
②加熱途中で鮪節を加え、微沸騰を保つ。
③アクを除き、時折全体を静かにかき混ぜながら15分間ほど煮て、酒とミリンのアルコール分を飛ばす。
④ネル生地で漉し、しっかり絞りきる。

用途
煮炊き物全般

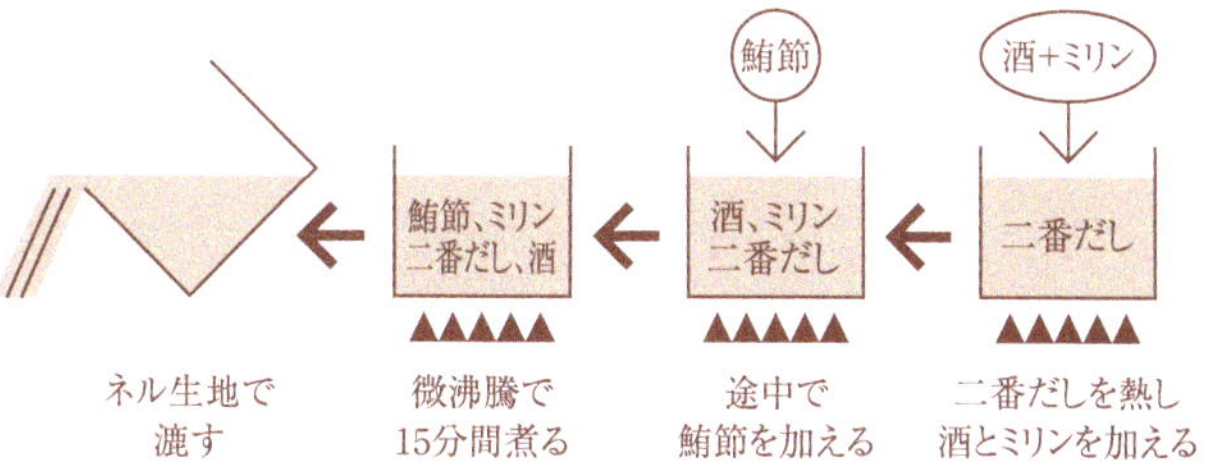

鯛細造り　昆布締め
新海苔　土筆
山葵　割だし

煮物椀
蛤しんじょ
鶯菜　焼き生椎茸
短冊人参
松葉柚子

グジ小袖焼き目寿司
はじかみ

芋蒸し
焼き生雲丹
焼き帆立貝柱

車えびと芽芋と三つ葉の海苔和え

赤貝と菜の花の芥子和え

穴子尾州巻
木の芽

かぶら蒸し
ぐじ　うなぎ　椎茸　百合根
木くらげ　溶き山葵

飯蛸と蕗の炊き合わせ
針柚子

筍と鯛子と若布の炊き合わせ
木の芽

白味噌汁
三色麩　わらび
芥子

鶉がゆ
芹

赤坂 菊乃井

村田吉弘

解説180〜185頁

一番だし

［材料］
利尻昆布　30g
鰹本枯節（血合い抜き）　50g
水　1.8リットル

①昆布は洗わない。最後に目の詰まったネル生地で漉すので、ゴミやほこりなどは、とくにここで洗ったりふいたりしなくてもいい。
②京都の水を60℃まで温度を上げたら、昆布を入れ、火加減をしてこの温度を保って60分間加熱する。
③昆布を取り出してから、湯の温度を98℃まで上げる。
④火を止めて鰹節を入れる。
⑤10秒おいたらすぐに、ネル生地で漉す。生地に繊毛がある側を内側に向ける。
⑥むりに絞らず、自然に漉す。

用途
すべての料理

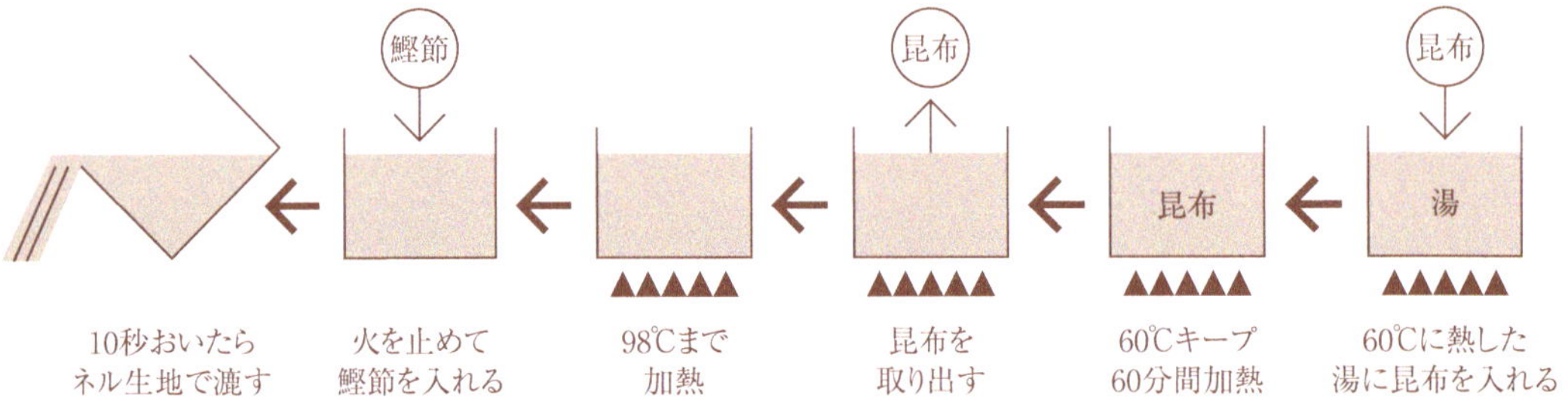

京都「菊乃井」の主人村田吉弘氏は、よりよいものを求め、伝統ある京料理に新風を送りつづける一人である。つねにサプライズに満ちた料理を提供することを考えているという。

同店では、2004年9月にオープンした東京赤坂店ともに、全店で出すすべての料理に一番だしを使っている。だしはこれのみという、きわめてシンプルなラインアップだ。これを素材や調理法に合わせて味を加減したり、追いがつおなどをして用いる。だしそのものに強い個性を持たせるのではなく、旬の素材や仕上がった料理を印象づけるため、味のレベルを上げるということが、「菊乃井」のだしの役目ということになる。そのため雑味のないクリアなうま味に重点をおき、これを充分引き出せる方法でだしをとっている。

「使っている昆布は、香深産利尻昆布の1等で1年以上ねかせたもの。北海道北端の礼文島の香深浜は、昆布の生育や乾燥に適した場所で、良質な昆布の産地として知られていますが、この昆布を蔵でねかせることで、いきり（生臭さ）を抜くことができ、澄んだだしがとれる。具体的には、昆布を60℃に熱した湯に1時間つけるのですが、この60℃1時間というのは、溶出するアミノ酸量がもっとも多く、しかも雑味が少ないという実験結果に裏付けられている数字なのです。また赤坂店では、京料理の味を出すために、だしの大事な素材のひとつである水を京都からトラックで運んでいます」と村田氏。

鰹節は鹿児島枕崎産の本枯節血合い抜きを使用。カビ付けをした本枯節を使うと、そうでないものよりもうま味が強くなる。これを毎朝その日に使う分を超鋼刃で向うが透けて見えるくらい薄く削ってもらって仕入れるという。「薄く削るのは投入後10秒という短時間で鰹のうま味を最大限引き出すため。たとえ15分間おいても、うま味の量は倍まで増えず、逆に好ましくない香りや、えぐみなどが出てきます。血合入りのほうがうま味は強いのに、あえてこちらを使用するのは、臭みを出したくないからです」

一番だしの味と香りをできるだけよい状態で使うために、つくりおきはせず、営業時間を通して、煮方が必要に応じてだしを引く。「素材の持ち味を生かし、料理の個性を邪魔せず、ベースをしっかり持ち上げてくれるだしが菊乃井のだしです」と村田氏は語る。

かくれ梅
白子クリーム
つくし

雲子銀餡蒸し
浅月
露生姜

「八寸」
筍と独活と烏賊の木の芽和え
蕨と白魚の柚香煮
菜種の芥子和え
飯蛸
花びら百合根
いくら

菜の花蒸し　うに餡

「椀物」
かすみ仕立て
筍　蓬豆腐
結び人参
木の芽

「酢物」
平貝貝柱塩焼き
蛍烏賊
蚕豆塩蒸し
ホワイトアスパラ
若布
苺のジュレ
黄身酢
針茗荷

野菜鍋

伊勢海老新海苔鍋
蛤　筍　菊菜

ふかひれ鍋
胡麻豆腐　焼葱

蟹飯
軸三つ葉

ほうれん草すり流し
ふきのとう

筍飯
叩き木の芽

木乃婦

髙橋拓児

解説186～190頁

昭和10年創業、京都の料亭「木乃婦」では一般のお客のほか、大広間での披露宴や仕出しも請け負う。そのため厨房には、それぞれの提供方法に応じた4種類のだしを常備している。吸い物にはいわゆる〝一番だし〟と呼ばれるものを使用。これはさらに細かく、「弁当用」と、よりシャープなうま味を求める「懐石用」とに分けている。弁当用は〝安くておいしい〟を考えた、いわば〝コストパフォーマンス〟を重視しただしに。懐石用はコストを考える前に、まずは〝味〟に希求しただしを理想としているという。

仕出しや披露宴料理に多用するのは「うまだし」と呼ぶだしで、昆布と鰹節だけでなく煮干しを使ってさらに複雑なうま味を持たせただしをベースに味つけまで済ませたもの。一度に仕込む量が多い場合、スピーディーな仕事が要求されるため、このように味つけの調整がいらないくらいに完成させただしを用意する必要があるそうだ。

「煮炊き用」のだしは、基本的に炊き合わせなど吸い物以外の料理に使用するが、先のうまだしが使う素材に対して濃すぎる場合、うまだしに加えて希釈して用いることもある。また、うまだしを使った煮込みの際に水分が蒸発した場合も、この煮炊き用のだしで補うことがあるという。

「だしは日本料理の核となるものだと思います。でも、従来のテクニックにはとらわれず、もっと自由に味の追求をしていきたいんです」とは、三代目若主人、髙橋拓児氏。シニアソムリエの資格を持ち、ワインと日本料理との相性を提案するなど、京都の料理界に積極的に新しい風を送る若手料理人のひとりである。新しい味へのヒントを求め、ジャンルを問わず、フランス料理やイタリア料理、中国料理も食べ歩く。そんな髙橋氏が、先の基本だしのほかに用いるだしは、エビやアワビ、野菜などひと皿に使う素材からとっただし。殻や皮から水とともに煮出すこともあるし、フランス料理のソースのように、時に焼いたものを水とともに煮出し、煮詰めることもある。これらは、常備仕込んでおくだしではなく、その都度仕込んでひと皿にまとめていくタイプのものが多いが、中国ハムや鶏を使ってだしをとることもある。「鰹と昆布をベースにしただしだけでは引き出せない素材の魅力を、もっと引き出してみたい」と、髙橋さん。これまでになかった日本料理の楽しみ方を提案するために、さまざまな素材からとっただしは重要な役割を担っている。

煮炊き用のだし

［材料］
真昆布（養殖）　300g
鰹荒節（血合い抜き、枕崎産）　150g
水　18リットル

①昆布を布巾でふいて、水に入れて火にかけ、30～40分間、弱火で煮出す。
②鰹節を加え、アクを引きながら30分間くらい煮出す。
③ペーパータオルで漉す。

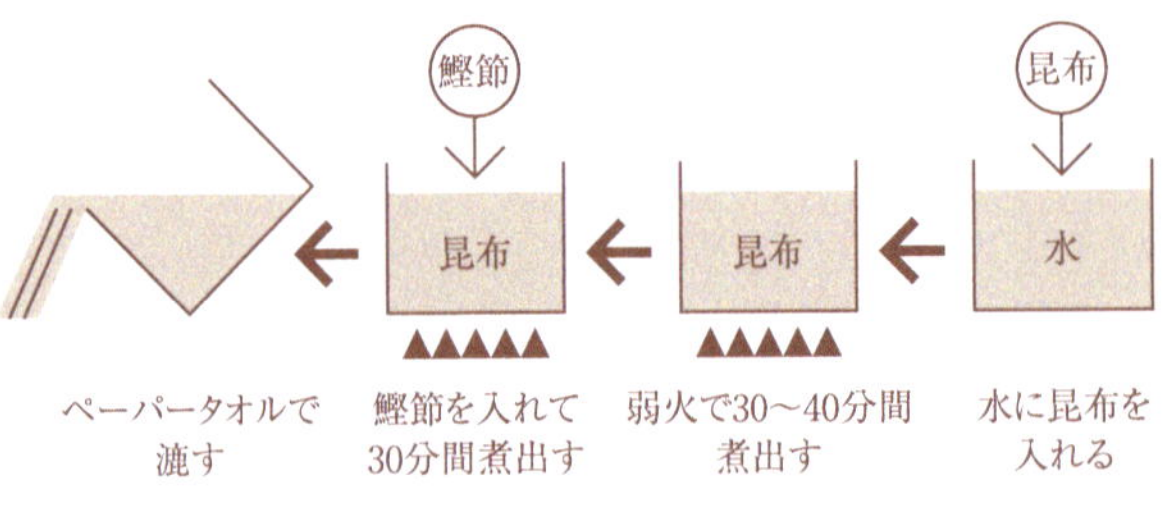
昆布
水
水に昆布を入れる
昆布
弱火で30～40分間煮出す
鰹節
昆布
鰹節を入れて30分間煮出す
ペーパータオルで漉す

弁当用吸い物だし

［材料］

真昆布（養殖）　200g

鰹荒節（血合い抜き、枕崎産）　200g

水　18リットル

①昆布を布巾でふいて、水に入れて火にかけ、30〜40分間、弱火で煮出す。

②昆布を取り出し、鰹節を加えてアクを引きながら2分間くらい煮出す。

③ペーパータオルで漉す。

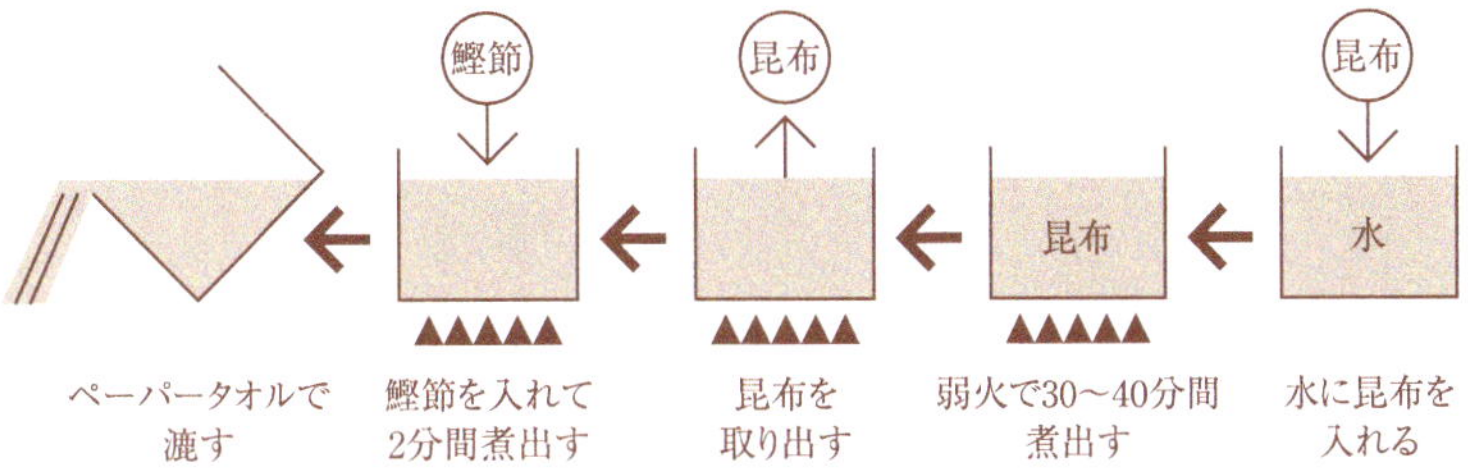

懐石用吸い物だし

［材料］

利尻昆布（天然）　200g

鰹荒節（血合い抜き、枕崎産）　100g

鰹本枯節（血合い抜き、枕崎産）　200g

水　18リットル

①昆布を布巾でふいて、水に入れて火にかけ、30〜40分間かけて沸騰直前まで、弱火で煮出す。

②沸騰する寸前に昆布を取り出し、荒節と本枯節をブレンドした鰹節を加える。

③火を止め、鰹節を沈める。

④アクを引き、ペーパータオルで漉す。

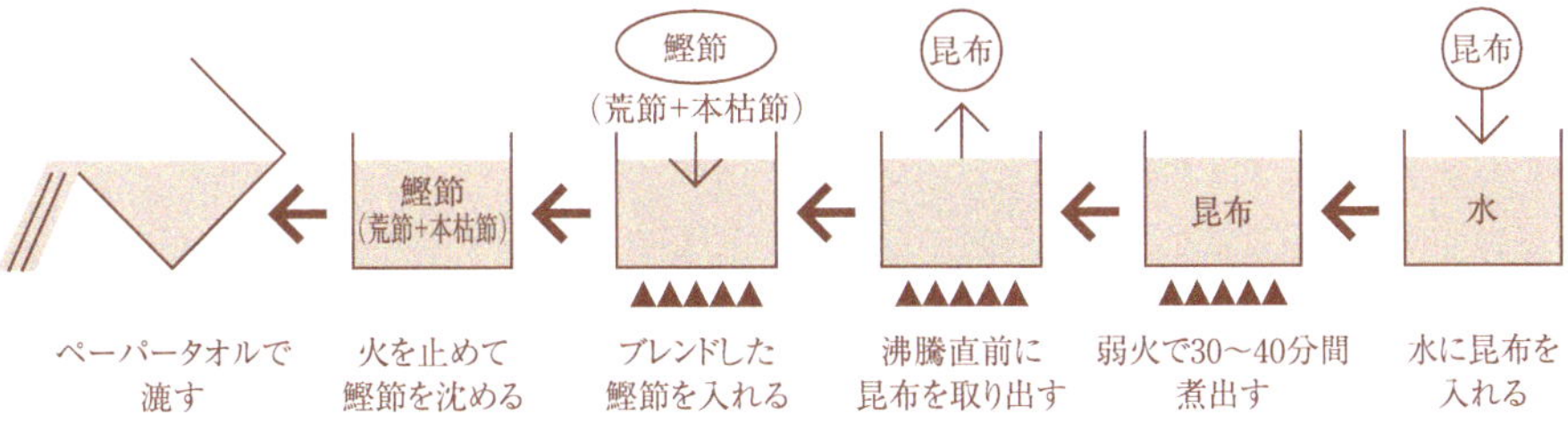

うまだし

［材料］

真昆布（養殖）　200g

鰹荒節（血合い抜き、枕崎産）　200g

煮干し（丸のまま）　5g

淡口醤油　1.5リットル

ミリン　1.5リットル

酒　1.5リットル

水　18リットル

①材料を一度に鍋に入れ、30分間くらいかけてゆっくり沸騰までもっていき、沸騰したらアクを引く。

②8割になるまで煮詰める。

③ペーパータオルで漉す。

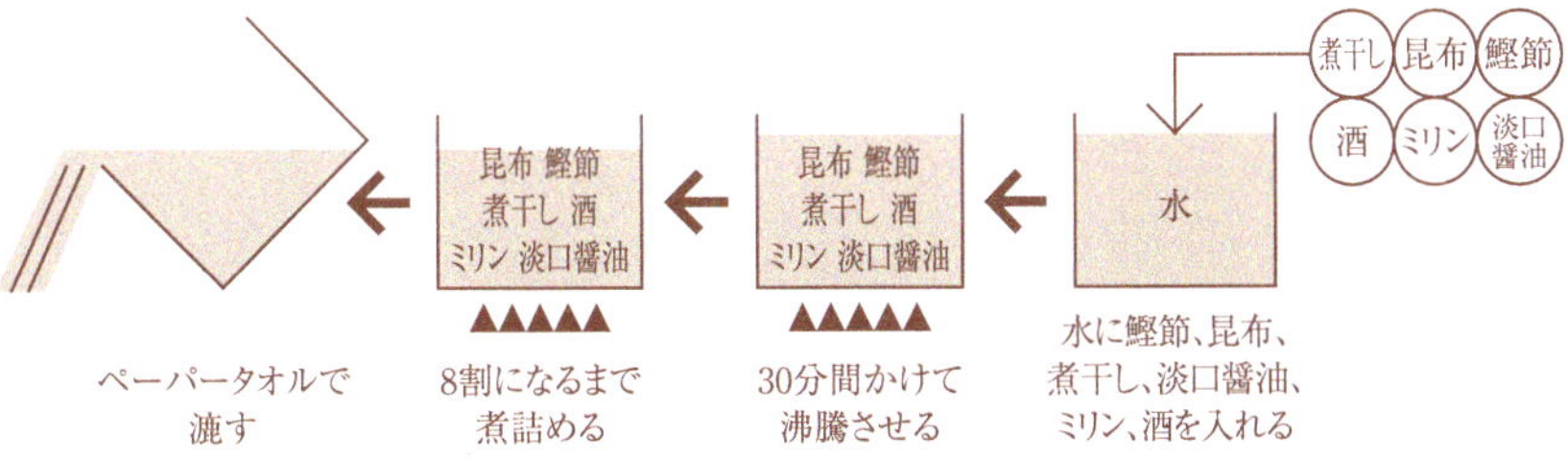

雲丹
鮑
キャビア

焼き茄子
伊勢海老
八方ゼリー
胡麻クリーム

蟹キャビア
香煎
八方酢ゼリー

鱧吸い
鱧子玉〆
うき袋

牡丹河豚
白子柚庵焼
鉄皮

鮑おかき揚げ
万願寺あんかけ

甘鯛
竹の子
甘酢あん

蛤くず叩き
焼き蕪
焼き餅

豆飯
フィレ肉味噌柚庵焼

蟹味噌炒飯

栗ご飯
渋栗

甘鯛からすみご飯

料理屋こだま

小玉 勉

解説191～197頁

「だしは、素材の持ち味を引き上げる縁の下の力持ちのような存在だと考えています」と小玉勉氏。

「料理屋こだま」は、新しいスタイルのカウンター割烹で、素材の持ち味を重視した、独自の料理が注目を集めている。日本料理の伝統的な技法や仕事をそのままくり返すのではなく、ひとつずつの作業の意味を一から考え、自分なりに組み立て直した。そのため、おまかせで提供される料理には、清し汁仕立ての椀のように、一番だしの味をストレートに味わってもらう料理はごく少ない。

あくまでも素材が主役であり、野菜でも魚介にしても、そのものの香りを大切にする。素材の味を際立てたり、素材の風味に厚みを加える調味料として用いるのがメインテーマだ。そのため、実際に使用するだしの種類は、少ない。必ず用意しているのは、一番だしと二番だしのみ。このほかには、一番だしをベースに、時季の素材を使って派生させるだしを不定期で用意している。

もっとも多く使う一番だしは、羅臼昆布と、血合い抜きの枯節を使用する。やや低温で煮出すことによって、昆布の甘みを充分に引き出している。鰹節の香りが立ちすぎず、昆布の甘みとの調和がとれたまろやかな風味が特徴だ。

一方、二番だしは、一番だしのだしがらに追いがつおをすることで、鰹の香りを強調する。小芋など、味をしっかり含ませたい汁気の少ない炊き物や、調味料を多く使う炊き込みご飯、造り醤油などに用いるが、その使用頻度はかなり少ない。

第3のだしは、一番だしをベースに、旬の甲殻類や魚のアラなどを使って煮出している。このだしは、主にお椀がわりに提供するスープに仕立てたり、茶碗蒸しの上にかけるソースなど、料理のコク出しなどにも使用する。使用する素材はさまざまだが、今回は代表的な素材として、毛ガニを使っただしのつくり方を紹介する。

一番だし

[材料]
羅臼昆布（2～3年もの） 60g
鰹本枯節（血合い抜き） 150g
水 3リットル

①鍋に水と、表面を軽くふいた羅臼昆布を入れ、中火にかける。
②約80℃まで温度を上げてから、そのままの状態で12分間煮出す。味をみて、甘みが出ていれば、昆布を引き上げる。
③鍋の全面を覆う感じで、鰹節をまんべんなく加える。火加減は、80℃を保つ程度の弱火を維持する。温度が低いので、ほとんどアクは出ないが、出たら取り除く。6分間ほど煮出す。
④火を止め、さらに6分間おいてじわじわと味が出るのを待つ。
⑤ザルに布巾をかけ、鍋からだしの上澄みだけを流し出してそっと漉す。鰹節は、一緒に漉さずに鍋に残す。
⑥鰹節の香りが飛ばないよう、すぐに氷にあてて冷やす。ラップフィルムを密着させて、冷蔵庫で保存する。

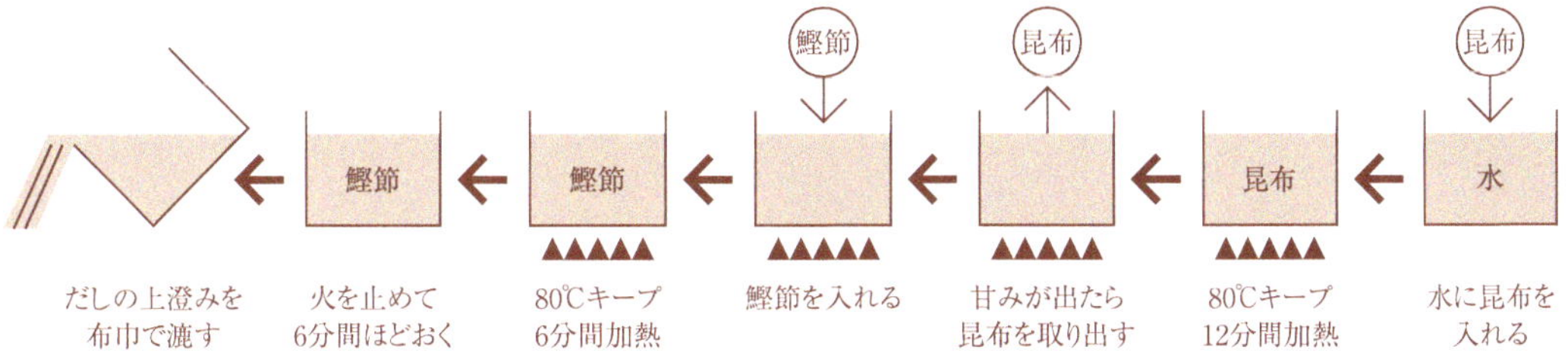
昆布
水
水に昆布を入れる
昆布
80℃キープ 12分間加熱
昆布
甘みが出たら昆布を取り出す
鰹節
鰹節を入れる
鰹節
80℃キープ 6分間加熱
鰹節
火を止めて 6分間ほどおく
だしの上澄みを布巾で漉す

二番だし

[材料]
一番だしのだしがら
水 2リットル
鰹本枯節（血合い抜き） ひとつかみ

①鍋に一番だしのだしがらと、水を入れ、火にかける。
②沸いてきたらひとつかみの追いがつおをし、2割ほど煮詰めてから布巾で漉す。
③香りが飛ばないように、氷水にあてて冷やし、ラップフィルムを密着させて冷蔵保存する。

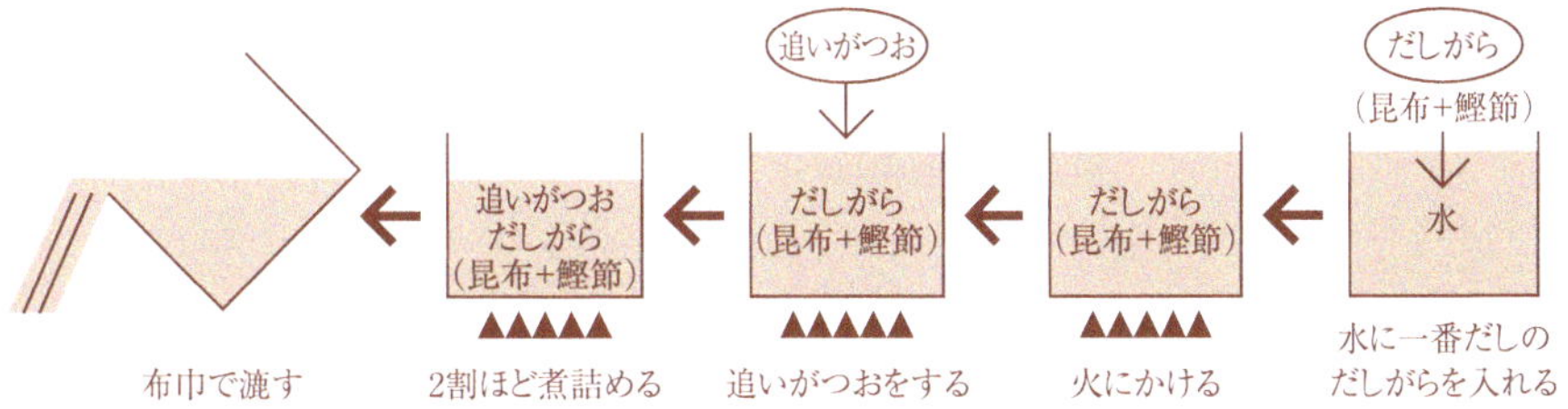
だしがら（昆布+鰹節）
水
水に一番だしのだしがらを入れる
だしがら（昆布+鰹節）
火にかける
追いがつお
だしがら（昆布+鰹節）
追いがつおをする
追いがつお だしがら（昆布+鰹節）
2割ほど煮詰める
布巾で漉す

甲殻類のだし

[材料]
一番だし 約700㎖
毛ガニ 1パイ
長ネギ（白い部分） 1.5本分
グレープシード油 少量
酒 少量

①毛ガニをゆでて、身と殻に分ける。身は料理に使う。
②長ネギは薄い輪切りにする。グレープシード油で炒め、甘みが出るまで蒸し焼きにする。
③ミキサーに毛ガニの殻とミソを入れ、一番だしを適量加えて回す。殻が細かくなったら鍋に移す。
④残りの一番だし、酒、②を加え、こげつかないように混ぜながら、約20分間煮出す。
⑤半分程度まで煮詰めたら味をみて、よければ漉し器で漉す。濃いようなら一番だしで調節する。漉し器に残った毛ガニの殻は手で搾ってだしをとる。

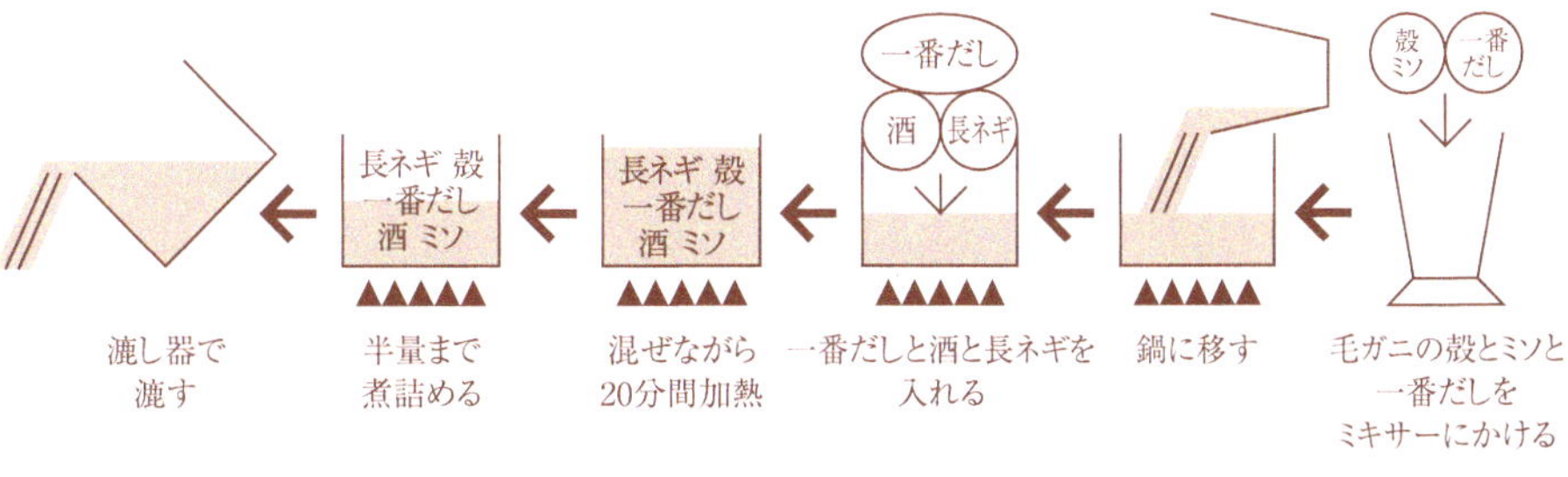
殻 ミソ
一番だし
毛ガニの殻とミソと一番だしをミキサーにかける
鍋に移す
一番だし
酒
長ネギ
一番だしと酒と長ネギを入れる
長ネギ 殻 一番だし 酒 ミソ
混ぜながら 20分間加熱
長ネギ 殻 一番だし 酒 ミソ
半量まで煮詰める
漉し器で漉す

京人参の梅炊き
鱈白子の白雪仕立て

とらふぐの魚骨スープ

トリュフの茶碗蒸し

聖護院大根
本鮪頬肉の南蛮味噌炒め

スッポンの赤ワイン煮込み
柿グラタン

イイダコとフキの炊き合わせ
花山葵のジュレ

穴子のふっくら煮と新ジャガイモ
馬鈴薯のすり流し

春摘み山菜の蒸し焼き
ふきのとうのソース

ホタルイカの茶碗蒸し
イカ墨のソース

とらふぐの造り
サラダ仕立て

桜切り
桜風味のゼリー

揚げた白葱と
青葱のソース

かんだ

神田裕行

解説198～202頁

東京・元麻布の住宅地にひっそりとたたずむ「かんだ」は、カウンター8席をメインにした日本料理店だ。「強いうま味に頼らず、淡いうま味をベースに、素材や調味料を加えたときにきれいなバランスをつくれるだしが理想」と語るのは、料理長の神田裕行氏である。

神田氏が用意するだしは、基本的には一番だしと二番だしの二種類。

一番だしは吸い物用で、新鮮さを保つために一度に大量にとることはせず、7～8人分ずつ、客数に応じてとる。昆布は天然の羅臼産、鰹節は枕崎産の血合い抜きの本枯節、水はフランスの軟水「ボルビック」を使用する。まず、水の入った1.5リットルボトルの中に細く切った昆布を入れ、夏なら2～3時間、冬なら5～6時間つける。その後、昆布を抜いてから鍋に移し、沸騰してからさらに軽く沸騰させ続け、水の中に含まれている空気を抜く。この時間、約30秒。「だしの中に空気が含まれていると、このあとに加える鰹節が、さらには完成しただしと合わせる素材が酸化して味が変わりやすくなります」と、神田氏はいう。次に加える鰹節は、火加減をして昆布だしの表面を穏やかにしてから静かに入れる。そして10秒間軽く沸かして、20秒おいてからサラシの生地で漉す。これらの時間が、鰹節のうま味だけを引き出せるギリギリの時間だと神田氏は考える。「うま味が濃すぎるだしでは、それに負けないほどの調味料が必要となります。でも、吸い物のおいしさは、バランスがとれた繊細なだしをベースに少ない塩分で味を引き出すことにあると思います」

こうして、一番だしがギリギリの時間を計算しながらクリアなうま味を引き出すことに対して、炊き合せなどに使う二番だしは、昆布と鰹節を合わせて20～30分間という時間をかけて加熱し、アクを引き続けることで、雑味を取り除いて一番だしとは違ったクリアさを求める。

このほか、貝柱なども使用するが〝合わせる素材のうま味を引き出すためのクリアなだし〟という考えは変わらない。

一番だし

［材料］
羅臼昆布　6g
鰹本枯節（血合い抜き）50g
水（ボルビック）1.5リットル

①鰹節をぬれ布巾で巻き、40秒間蒸し器で蒸す。薄く削る。
②ペットボトルに入った水に、細く切った昆布を入れ、夏なら2～3時間、冬なら5～6時間おいて昆布水だしをとる。
③②の昆布水だし（昆布は抜く）を鍋に移し、火にかける。沸いてから30秒間さらに軽く沸騰させる。
④弱火にして③の表面をおだやかにし、鰹節を加える。10秒間そのまま軽く沸かす。
⑤火を止め、20秒間おく。
⑥サラシの生地で漉す。

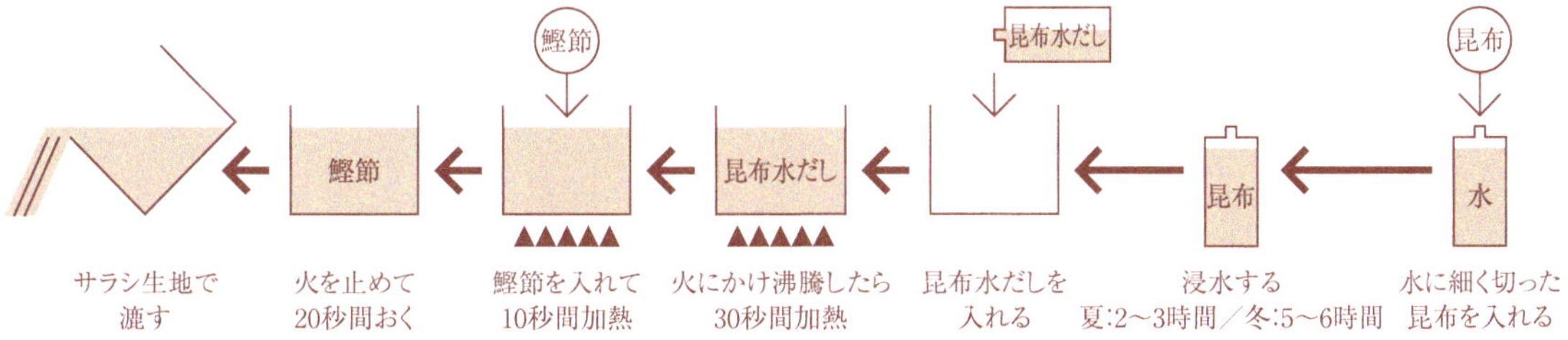
昆布
水
昆布
昆布水だし
昆布水だし
鰹節
鰹節
水に細く切った昆布を入れる
浸水する 夏:2～3時間／冬:5～6時間
昆布水だしを入れる
火にかけ沸騰したら30秒間加熱
鰹節を入れて10秒間加熱
火を止めて20秒間おく
サラシ生地で漉す

二番だし

［材料］
羅臼昆布　12g
鰹本枯節（一番だしを削ったときに出た粉状のものを使用）80g
水　3リットル

①鍋に水と昆布と鰹節を入れ、火にかける。
②沸いたら弱火にし、アクを引きながら、静かに20分間くらい煮出す。
③澄んできたら、そのタイミングを見計らってサラシの生地で漉す。

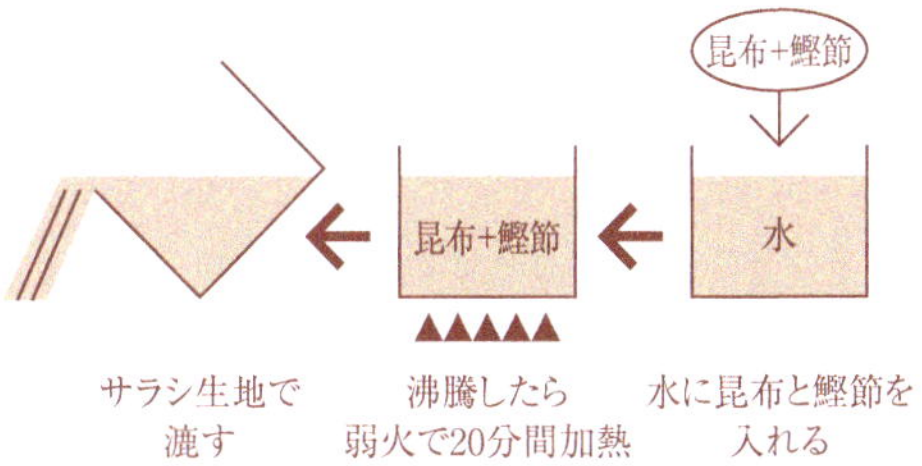
昆布+鰹節
水
昆布+鰹節
水に昆布と鰹節を入れる
沸騰したら弱火で20分間加熱
サラシ生地で漉す

貝柱のだし

［材料］
干貝柱　30g
水（ボルビック）1.5リットル

①ペットボトルに入った水に貝柱を入れてひと晩おく。
②貝柱を取り除いただしを鍋に入れ、静かに沸騰させて透明になるまでアクを引く。
③サラシの生地で漉す。

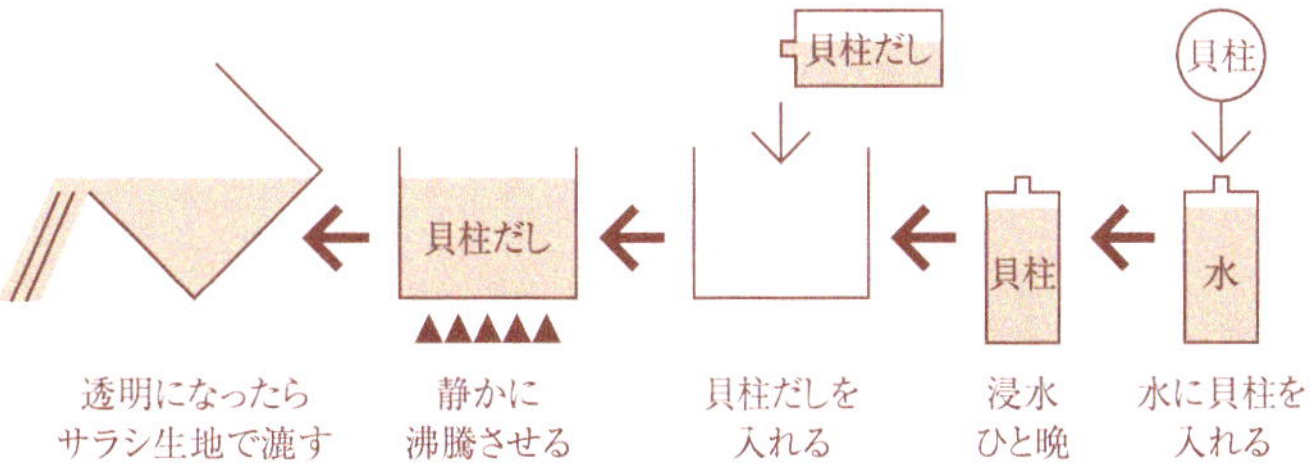
貝柱
水
貝柱
貝柱だし
貝柱だし
水に貝柱を入れる
浸水 ひと晩
貝柱だしを入れる
静かに沸騰させる
透明になったらサラシ生地で漉す

ミックスリーフの
胡麻入りジュレがけ

蚕豆と海老真蒸の椀仕立て

潮汁

豚のみぞれ煮

桜鱒の粕汁

牛ほほ肉の赤ワイン煮

干貝柱と白菜の
小鍋仕立て

茄子の葛煮

さわら鍋

貝鍋

鯛とふきのごはん

トマトそうめん

せり雑炊

大本山永平寺

三好良久

解説203〜208頁

日本式の精進料理が確立する中で、大きな役割を果たしたのが曹洞宗の開祖、道元禅師である。鎌倉時代、中国で修行した道元禅師は、中国禅宗の食事法と日本の素材と食生活を組み合わせ、永平寺風精進料理の基礎をつくり上げた。

その典範となるのが、道元禅師の記した『典《てん》座《ぞ》教訓《きょうくん》』と『赴粥飯法《ふしゅくはんぽう》』である。これらの中には、料理をする者にとっての心得から、食事作法にいたるまでの規範が示されている。７００年以上の歳月がたっているとはいえ、その心理は今もなお新鮮であり、精進料理を調理する上では、欠かせない書物といえる。ちなみに、典座とは、修行僧の食事を調える役目のこと。古来から、尊い役職のひとつとされ、大庫院（厨房）で行なわれる修行のすべてを統括する。

現在、大本山永平寺の典座を務めるのは、三好良久氏である。永平寺では、1泊2日の『一《いち》日参籠《にちさんろう》』や3泊4日の『参禅体験《さんぜんたいけん》』などを行なっているため、修行僧の食事だけでなく、こうした参拝者のための食事も用意しなければならない。大庫院に配属される修行僧は約10名で、ときには５００人分もの食事を用意することもあるという。こうした作業の一つひとつが修行であり、そのいたるところに精進の精神が行き渡っている。

精進料理において、殺生を戒めると同時に、すべての食材を尊ぶということも、重要な心構えである。それは、どのような素材であれ、上等や粗末というような差別をせず、同じように扱うこと。だしに使う素材も、仕入れるものはもちろん、寄進されたものも分け隔てなく使用している。たとえ粗末なものであっても、工夫することでおいしく食べるのも、ひとつの修行だからである。

そして、素材の気持ちになり、無駄を出さないようにする。だしを取り終えた昆布なども、そのまま捨てずに、同じくだしを取ったあとの大豆や干椎茸などと煮合わせて食べる。あるいは、参籠者に出す料理は、見栄えにも気を使うが、その反面、調理の際に出る野菜の皮や切りくずは、修行僧の味噌汁の具や炒め物にするなど、無駄なく活用している。

昆布だし

昆布だしは、主に吸い物に使用する。昆布の種類にこだわりはなく、その時々で手に入るものを活用する。また、水から煮出し、沸騰した状態でやわらかくなるまで加熱する。だしをとったあとの昆布は細かく切り、豆などといっしょに炊いて食するためだ。

［材料］
昆布　20cm長さ
水　1リットル

昆布だしのとり方

①昆布は乾いた布巾でふいておく。鍋に水と昆布を入れて火にかける。

②アクが浮いてきたら取り除き、沸騰した状態で2～3分間煮出す。

椎茸だし

干椎茸は、風味の強いだしがとれるため、比較的濃い味つけの料理に使われる。

［材料］
干椎茸　大24枚
水　専用大ボウル1杯分

椎茸だしのとり方

①ひと晩程度、水につけておく。

精進だし

永平寺では、もっとも広く利用するだし。基本的には、昆布2種と干椎茸の混合だしである。利尻昆布、日高昆布、干椎茸を特別にブレンドし、詰め合わせたパックを使用する。それぞれは細かく切りそろえられており、安定しただしを取ることができる。

［材料］
だしパック　45g
　利尻昆布
　日高昆布
　干椎茸
水　50リットル

精進だしのとり方

①大きな鍋に水をため、だしパックを入れる。

②蓋をして強火で熱する。

③沸騰してきたら、だしパックを取り出す。

「膳」
白飯
味噌汁
平皿（煮物）
小皿（山芋）
沢庵

胡麻豆腐二種

酢蓮根

吸い物

飛竜頭と大根の煮物

大根の煮物

炊き合せ

瓢亭

髙橋英一／髙橋義弘

*瓢亭のだしのとり方は107頁参照

カラー108頁

鯛細造り　昆布締め
新海苔　土筆
山葵　割だし

タイ、昆布
割だし（一番だし、淡口醤油、濃口醤油、レモン、スダチ、ユズ）
新海苔、ツクシ、ワサビ

①タイを細造りにして、昆布で締める。
②一番だしに淡口醤油、濃口醤油を加えて味を調え、レモン、スダチ、ユズの搾り汁を加えて割だしとする。
③器にタイを盛り、おろしワサビ、新海苔、ツクシ（灰アクを入れた湯でゆで、水にさらす）を添える。割だしをかけてすすめる。

カラー109頁

煮物椀
蛤しんじょ
鶯菜　焼き生椎茸
短冊人参　松葉柚子

ハマグリしんじょう（ハマグリ、ホタテ貝柱、すり身、卵白、卵黄、二番だし、吉野葛、ハマグリのゆで汁、淡口醤油、塩、生ユバ）
ウグイス菜、二番だし
シイタケ、二番だし
京ニンジン、二番だし
吸い地（一番だし、淡口醤油、塩）
ユズ

①ハマグリしんじょうをつくる。ハマグリをゆで、殻の口が開いたら取り出す。殻から身を外して適当な大きさに切り、ゆで汁はとりおく。
②すり鉢にホタテ貝柱を入れてすりつぶす。なめらかになったら、すり身を入れてよくすり混ぜ、卵白と卵黄をそれぞれ少量ずつ加えて混ぜる。二番だしで溶いた吉野葛、ハマグリのゆで汁でのばし、淡口醤油と塩で味を調える。とりおいたハマグリの身と生ユバの刻んだものを加え、ゴムベラで混ぜる。形にとり、蒸す。
③ウグイス菜はカブの部分の皮をむき、ゆでて水にさらす。二番だしで温める。
④シイタケは軸を切り落とし、炭火で両面を焼く。二番だしでサッと煮る。
⑤京ニンジンを短冊に切り、ゆでてから流水にさらす。二番だしで炊く。
⑥一番だしを温め、淡口醤油と塩で味を調えて吸い地とする。
⑦椀に②のハマグリしんじょうとウグイス菜、シイタケ、ニンジンを盛り、松葉ユズを天に盛り、吸い地を張る。

カラー110頁

グジ小袖焼き目寿司
はじかみ

グジ、塩、酢
すし飯（米、一番だし、二番だし、酢、砂糖、塩）
白板昆布、木ノ芽
はじかみ

①グジ（甘鯛）を三枚におろす。腹骨と小骨を取り除き、皮を引く。身の両面に薄塩をあて、1時間以上おく。塩がまわったら酢で洗う。
②すし飯をつくる。米を一番だしと二番だしを合わせたもので炊き、酢、砂糖、塩の合わせ酢を混ぜて味を調える。
③ぬれ布巾を広げ、グジを表になるほうを下にして乗せ、棒にしたすし飯を乗せる。棒ずしの要領で巻き、表面をバーナーであぶって焼き目をつける。木ノ芽を並べ、白板昆布をかぶせる。
④食べやすい大きさに切り、器に盛る。はじかみを添える。

カラー110頁

芋蒸し
焼き生雲丹
焼き帆立貝柱

生ウニ、塩
ホタテ貝柱、塩
ツクネイモ、一番だし、塩、淡口醤油

①生ウニに塩をふり、箱ごとオーブンで焼く。
②ホタテ貝柱を串打ちして塩をふり、炭火で焼く。食べやすい大きさに切る。
③ツクネイモをすり鉢ですりおろし、一番だしでゆるめにのばす。塩、淡口醤油で味を調える。
④器にホタテ貝柱を入れ、ウニを重ねる。ツクネイモを静かに流し込み、蒸す。

カラー111頁

車えびと芽芋と三つ葉の海苔和え

車エビ、塩、サラダ油
芽イモ、酢、二番だし、淡口醤油
三ツ葉
一番だし、淡口醤油、濃口醤油
焼き海苔

①車エビの頭を取って背ワタを抜き、殻をむく。薄塩をあて、1時間ほどおく。金串を打って焼き、二度ほどサラダ油をぬりながら焼き上げる。熱いうちに身を裂いてほぐす。
②芽イモの皮をむき、縦に細く切る。少量の酢を入れた熱湯でかためにゆで、おか上げする。冷めたら絞って水気をきり、長さ2cmに切る。二番だしに淡口醤油を加えた地につける。
③三ツ葉の葉を取り、軸をサッとゆがいて流水にさらす。絞ってから長さ2cmに切る。
④ボウルに車エビ、芽イモ、三ツ葉を入れ、一番だし、淡口醤油、濃口醤油で味をつけて和える。
⑤器に盛る直前に揉み海苔（焼き海苔をサラシで包み、揉んだもの）を加え混ぜる。

カラー112頁

赤貝と菜の花の芥子和え

赤貝
菜ノ花、二番だし、淡口醤油
一番だし、淡口醤油、濃口醤油、練り芥子

①赤貝の身を殻から外し、唐草に切る。
②菜ノ花を適宜に切り、サッとゆでてから水にさらす。かたく絞って水気をきり、二番だしに少量の淡口醤油を加えた地につけ、下味をつける。
③菜ノ花を絞り、水気をきる。赤貝とともに一番だし、淡口醤油、濃口醤油で味をつけ、最後に練ったカラシで和える。

カラー113頁

穴子尾州巻　木の芽

アナゴ、ダイコン
八方だし、昆布、淡口醤油、塩、ミリン
木ノ芽

①ダイコンを桂むきにし、サッとゆがく。流水にさらし、水気をきる。
②アナゴをさばき、串を打って白焼きにする。縦に包丁を入れ、細長く切る。
③アナゴを芯にしてダイコンできれいに巻き、竹の皮でくくる。
④鍋に昆布を1枚敷き、アナゴを巻いたダイコンを並べる。八方だしをダイコンがかぶるくらいまで注ぎ入れ、炊く。淡口醤油、塩、ミリンで味を調え、ダイコンが形を保つギリギリのやわらかさまで炊く。
⑤適宜の大きさに切り分け、器に盛る。木ノ芽をたっぷりと天盛りにする。

カラー114頁

かぶら蒸し　ぐじ　うなぎ　椎茸　百合根　木くらげ　溶き山葵

グジ、塩
ウナギ蒲焼き
シイタケ、二番だし
ユリ根
キクラゲ、二番だし
カブラ、道明寺粉、卵白
餡（一番だし、淡口醤油、濃口醤油、塩、吉野葛）
ワサビ

①皮をすき引きしたグジを三枚におろし、骨を除く。両面に塩をあてて1時間以上おく。
②ウナギをさばき、串を打って蒲焼きにする。ひと口大に切り分ける。
③シイタケを炭火で焼き、二番だしで炊く。
④ユリ根をきれいに掃除し、鱗片をばらす。
⑤キクラゲを戻し、せん切りにする。二番だしでサッと炊く。
⑥カブラの皮をむき、おろし金ですりおろす。熱湯を注ぎ、ザルに上げて水気をきる。道明寺粉と卵白を加え、混ぜる。
⑦器にグジ、ウナギ、シイタケ、ユリ根を盛り、これらをかぶせるように⑥のカブラを入れる。キクラゲを乗せて蒸す。
⑧一番だしを熱し、淡口醤油、濃口醤油、塩で吸い地より少し濃いめに味をつけたところに、

だしで溶いた吉野葛を加えて餡をつくる。
⑨蒸し上がったカブラに餡をかけ、溶きワサビを乗せる。

カラー114頁

飯蛸と蕗の炊き合わせ　針柚子

イイダコ、八方だし、酒、砂糖、淡口醤油、濃口醤油、ミリン
フキ、二番だし、砂糖、塩、ミリン
ユズ

①イイダコは目と墨袋と口を取り除き、塩（分量外）でもみ、水洗いする。霜降りしてから脚と頭とに分ける。
②八方だし、酒、砂糖、淡口醤油、濃口醤油、ミリンを合わせて火にかける。沸騰したところにイイダコの頭を入れ、火が通ったら脚も入れる。ひと煮立ちしたら火を止め、落し蓋をしてそのまま余熱で火を入れる。
③たっぷりの湯に灰アク（分量外）を加え、フキをサッとゆがく。流水にさらしてから、皮をむく。二番だし、砂糖、塩、ミリンの地で炊く。
④器にイイダコとフキを盛り、針ユズを天盛りにする。

カラー115頁

筍と鯛子と若布の炊き合わせ　木の芽

タケノコ、八方だし、淡口醤油、ミリン、塩
タイの子、八方だし、酒、塩、淡口醤油、ミリン
ワカメ、八方だし、淡口醤油、濃口醤油、ミリン
木ノ芽

①タケノコの先を斜めに切り落とし、縦に包丁を入れる。米ぬか（分量外）を入れた湯で5時間ほどゆがく。やわらかくなったら火から下ろし、そのまま冷ます。皮をむいて適宜の大きさに切り、たっぷりの水とともにゆで、ぬかを落とす。
②鍋にタケノコを入れ、かぶるほどの八方だしを入れて炊く。しばらくしてから淡口醤油、ミリン、塩で味をつける。
③タイの子は立て塩で洗い、適宜の大きさに切る。中表になるよう裏返し、ゆでて花を開かせる。完全に火が通ったら、水にさらす。水気をきり、八方だしで炊く。酒、塩、淡口醤油、ミリンで味をつけ、しばらく炊く。
④ワカメを食べやすい大きさに切り、ひたひたの量の八方だしで炊く。淡口醤油、濃口醤油、ミリンで味をつけ、しばらく炊く。
⑤器にタケノコ、タイの子、ワカメを盛り、木ノ芽を天に盛る。

カラー116頁

白味噌汁
三色麩　わらび　芥子

三色麩、二番だし
ワラビ、二番だし
白味噌汁（白味噌、赤味噌、二番だし）
溶き芥子

①三色麩を四角に切り、二番だしでサッと炊く。
②ワラビに灰（分量外）をまぶし、壷などの深い容器に入れる。熱湯を注ぎ、蓋をしてそのまま冷ます。指の腹とつま楊枝を使って1本ずつ産毛を取り除く。流水で洗い、二番だしで炊く。
③白味噌を二番だしで溶き、ごく少量の赤味噌も溶き入れる。火にかけて温める。
④器に三色麩をおき、ワラビを盛る。溶き芥子を添え、白味噌汁を張る。

カラー117頁

鶉がゆ
芹

ウズラ、濃口醤油
ご飯
一番だし0.5、二番だし0.5、鶏ガラスープ*1
淡口醤油、塩
セリ
*鶏ガラスープ／鶏の骨を霜降りし、流水できれいに洗う。鍋に入れ、水、ネギ、ニンジンなどの香味野菜を入れ、3～5時間ほど火にかけて煮出したもの。

①一番だし、二番だし、鶏ガラスープを合わせる（割合は、一番だしと二番だしを合わせたものと、鶏ガラスープが同量ずつ）。土鍋に注ぎ入れ、洗ってぬめりを取ったご飯を入れて炊く。
②ウズラをさばき、骨を外す。肉を3㎜角のさいの目に切る。濃口醤油をふり、からませておく。土鍋のご飯に粘りが出てきたら、ウズラを入れてほぐす。
③ウズラに火が通り、淡口醤油と塩で味を調えたら、きざんだセリを散らし、軽く混ぜる。

赤坂 菊乃井

村田吉弘

＊菊乃井のだしのとり方は118頁参照

カラー120頁

かくれ梅
白子クリーム
つくし

梅干し、一番だし、淡口醤油
白子クリーム（タイの白子200g、あたりゴマ5g）
ツクシ、サラダ油

①塩が抜けやすいよう、梅干しの表面に針打ちし、水につけて塩抜きをする。
②鍋に梅干しを並べ、一番だしを注ぎ、淡口醤油を加えて薄味をつけて火にかける。30分間ほど弱火で炊いたのち、火から下ろし、鍋のまま冷まして味を含める。
③白子クリームをつくる。タイの白子を熱湯でボイルして火を通し、熱いうちに裏漉しする。ここにあたりゴマを加え、よくすり混ぜる。濃いときは、だしを加えてのばして濃度を調整する。
④②の梅干しを盛り、白子クリームを適量かける。天に素揚げしたツクシを盛る。

カラー121頁

雲子銀餡蒸し
浅月
露生姜

クモコ、塩水
銀餡（一番だし300㎖、塩1g、淡口醤油5㎖、葛粉30g）
ショウガの搾り汁、アサツキ

①クモコは塩水に30分間つけたのち、熱湯でボイルする。
②銀餡をつくる。一番だしを熱し、塩、淡口醤油で味を調える。水で溶いた葛粉を加えて葛を引く。
③クモコを盛り、銀餡をかける。ショウガを搾って少量ふり、小口切りのアサツキを天に盛る。

カラー121頁

「八寸」
筍と独活と烏賊の木の芽和え
蕨と白魚の柚香煮
菜種の芥子和え
飯蛸
花びら百合根
いくら

◎筍と独活と烏賊の木の芽和え

タケノコ、吸い地（一番だし、塩水、淡口醤油）
ウド、酢
イカ、酒
木の芽味噌（白味噌1kg、酒500㎖、木ノ芽適量、青寄せ適量、粉サンショウ適量）

①タケノコはアク抜きをして、薄めに味を調えた吸い地で炊いてそのまま冷ます。これをさいの目に切る。
②ウドはさいの目に切って、酢水につける。
③イカは少量の酒で煎ってさいの目に切る。
④木の芽味噌をつくる。白味噌に酒を入れて火

にかけて、もとのかたさになるまで練る。木ノ芽をすり鉢ですり、先の白味噌、青寄せ、粉サンショウをすり混ぜる。
⑤タケノコ、ウド、イカを木の芽味噌で和える。

◎蕨と白魚の柚香煮

ワラビ、吸い地（一番だし、塩水、淡口醤油）、白ゴマ
シラウオ、酒、ミリン、淡口醤油、ユズ

①ワラビはアク抜きをし、冷たい吸い地につけて味を含ませる。根元に白ゴマをまぶす。
②シラウオは酒、ミリン、ごく少量の淡口醤油、ユズの皮でサッと炊く。

◎菜種の芥子和えと飯蛸

菜ノ花、八方地（一番だし、塩水、淡口醤油）
芥子和え地（練り芥子5g、八方地100㎖）
イイダコ、酒、濃口醤油、煎り玉

①菜ノ花は熱湯で色よくゆでて冷水にとる。吸い地よりも濃いめに味をつけた冷たい八方地に1日つけて味を含ませる。提供時に芥子和え地で和える。
②酒と濃口醤油を同量ずつ合わせて火にかけ、イイダコを炊く。適当な大きさに切り、煎り玉をまぶす。煎り玉は蒸した卵黄を裏漉しして煎ったもの。

◎花びら百合根といくら

ユリ根
塩漬けイクラ

①ユリ根を1枚ずつばらして、花びらに形を整えてサッと蒸す。
②ユリ根の上に塩漬けイクラを盛る。

カラー122頁

菜の花蒸し　うに餡

菜ノ花、八方地（一番だし、塩水、淡口醤油）
オカラ30g、一番だし、淡口醤油、塩
汲み上げ湯葉20g
キクラゲ、ニンジン、一番だし、淡口醤油、ミリン
百合根、塩
うに餡（塩ウニ、煮切り酒、一番だし、淡口醤油、塩、葛粉、生ウニ）
生ウニ、溶きワサビ（おろしワサビ、一番だし）

①菜ノ花は熱湯でゆでて冷水にとり、冷たい八方地につけて味を含ませたのち、包丁で細かく叩く。
②菜の花蒸しの種を用意する。オカラは水漉しして絞り、オカラの倍の一番だしで炊いて、もとのかたさまで戻す。淡口醤油と塩で薄味に調える。
③汲み上げ湯葉を裏漉しする。具のキクラゲは水につけて戻し、淡口醤油とミリンで味をつけた一番だしで煮る。ニンジンはあられに切って、同じだしでサッと煮てそのまま冷まして味を含める。百合根は1枚ずつばらして蒸し、うす塩をしておく。炊いたオカラ、裏漉しした湯葉、具を混ぜ合わせて種とする。
④サラシの上に①の菜ノ花を広げ、③の種を丸めて乗せ、茶巾に絞って蒸す。種には火が通っているので中まで温まる程度でよい。
⑤うに餡をつくる。塩ウニを煮切り酒でゆるく

のばす。一番だしを熱し、淡口醤油と塩で味を調え、水で溶いた葛粉を溶き入れ、薄く葛を引く。ここに先のウニを溶き混ぜる。みじんに切った生ウニを適量混ぜて餡を仕上げる。
⑥菜の花蒸しを器に盛り、うに餡をかける。生ウニを上に盛り、だしで溶いたワサビを天に盛る。菜花を1輪あしらう。

カラー123頁

「椀物」
かすみ仕立て 筍 蓬豆腐 結び人参

タケノコ、八方地(一番だし、塩水、淡口醤油)
蓬豆腐(ヨモギペースト360g、昆布だし5.4リットル、白ゴマペースト300g、葛粉600g、塩水、淡口醤油)
吸い地(一番だし、塩水、淡口醤油)
ワカメ
ニンジン、一番だし
木ノ芽

①タケノコはアク抜きして、八方地で炊き、そのまま冷まして味を含ませる。八方地は吸い地よりも濃いめの味。
②蓬豆腐をつくる。ヨモギを熱湯で色よくゆがき、フードプロセッサーでペースト状にする。ヨモギペースト、昆布だし、白ゴマペースト、葛粉をよく混ぜ、塩水、淡口醤油で味をつける。これを火にかけて練り上げる。流し缶に流して冷し固める。
③ニンジンを細く切り、一番だしで炊いて、2本束ねて結ぶ。
④ワカメをゆがいて細かくきざみ、吸い地に混ぜる。
⑤蓬豆腐を切り出して温めて器に盛る、上に大きく切って温めたタケノコを乗せ、④の吸い地を張る。③の結び人参をあしらい、天に木ノ芽を盛る。

カラー124頁

「酢物」
平貝貝柱塩焼き 蛍烏賊 蚕豆塩蒸し ホワイトアスパラ 若布 苺のジュレ 黄身酢 針茗荷

タイラ貝、塩
ホタルイカ、酒、濃口醤油
ソラ豆、塩
ホワイトアスパラガス、ワカメ、塩水
苺のジュレ(イチゴ、土佐酢*、板ゼラチン)
黄身酢(卵黄30個、土佐酢400ml、塩、砂糖)
ミョウガ

*土佐酢/一番だしと酢を同量ずつ合わせて一旦熱して冷ます。

①タイラ貝の貝柱に薄塩をあてて焼き、食べやすく切る。
②酒と濃口醤油を同量ずつ合わせてホタルイカを炊く。
③ソラ豆は蒸して塩をふる。
④ホワイトアスパラガスは蒸して塩水につけておく。
⑤ワカメはゆがいて塩水につける。ミョウガは

ごく細いせん切りに切る。
⑥苺のジュレをつくる。酸味のあるイチゴを選び、これを裏漉ししてペーストをつくる。土佐酢の一部を熱して、ふやかした板ゼラチンを溶かす。ペーストと土佐酢を同割で合わせたもの50に対して、ゼラチン1が合わせる目安。
⑦黄身酢をつくる。卵黄と土佐酢を混ぜ合わせて湯煎にかけ、練り上げる。少量の塩と砂糖で味を調える。
⑧タイラ貝の殻をきれいに洗い、苺のジュレをくずして敷く。それぞれを盛りつけ、黄身酢を添える。

カラー125頁

野菜鍋

聖護院カブラ、吸い地(一番だし、塩水、淡口醤油)
金時ニンジン、一番だし、淡口醤油、ミリン
海老イモ、一番だし、淡口醤油、ミリン
壬生菜、九条ネギ、湯葉
アナゴ
吸い地(一番だし、塩水、淡口醤油)
ユズの皮、セリ

①聖護院カブラは、水からゆがいたのち、吸い地で炊く。火が通ったらそのまま冷まして味を含ませる。
②金時ニンジンは、淡口醤油とミリンで薄味をつけた一番だしで、サッと直炊きする。そのまま冷まして味を含ませる。
③海老イモは、米ぬか(分量外)を入れた水でゆでたのち(ぬかゆがきという)、淡口醤油とミリンで味をつけた一番だしで炊く。火が通ったらそのまま冷まして味を含ませる。
④壬生菜、九条ネギ、湯葉は食べやすく切っておく。
⑤アナゴはさばいて白焼きにし、食べやすい大きさに切っておく。
⑥それぞれの具を鍋に入れ、薄めに味を調えた吸い地を張って沸す。グツグツ沸いてきたらあられにきざんだユズと小口切りのセリを散らす。

カラー126頁

伊勢海老新海苔鍋　蛤　筍　菊菜

伊勢エビ、酒
ハマグリ、酒
新海苔
タケノコ、八方地(一番だし、塩水、淡口醤油)
キク菜、八方地(一番だし、塩水、淡口醤油)
一番だし

①伊勢エビはさばいて身を取り出し、少量の酒で煎っておく(酒煎り)。
②ハマグリは殻を外して身を取り出し、酒煎りする。
③新海苔は水洗いして熱湯でサッとゆがく。
④タケノコはアク抜きして、八方地で炊き、そのまま冷まして味を含ませる。八方地は吸い地よりも濃いめの味に調える。
⑤キク菜は熱湯でゆがいて冷水にとり、冷たい八方地につけて味を含ませる。
⑥②で出たハマグリの汁に一番だしを合わせ、伊勢エビと新海苔を入れてサッと炊く。
⑦伊勢エビ、ハマグリ、新海苔、温めたタケノコとキク菜を器に盛って、⑥のだしを張る。

カラー127頁

ふかひれ鍋　胡麻豆腐　焼葱

フカヒレ（戻してある製品）
干貝柱、干椎茸、一番だし
胡麻豆腐
焼きネギ
すっぽんスープ（スッポン、酒、水、淡口醤油）

①干貝柱と干椎茸を冷たい一番だしにつけて戻す。
②フカヒレは水から火にかけて一旦ゆでこぼして臭みを抜く。
③①が戻ったら火にかけ、フカヒレを入れて炊く。
④すっぽんスープをとる。酒と水を同量ずつ合わせ、さばいたスッポンを入れて3時間ほど煮る。最後に淡口醤油を加えて味を調える。
⑤鍋にフカヒレ、胡麻豆腐、焼きネギを入れ、熱々のすっぽんスープを張る。鍋を火にかけて熱して供する。

カラー128頁

蟹飯　軸三つ葉

ズワイガニ、一番だし
米
一番だし、塩水、淡口醤油
軸三ツ葉

①ズワイガニは熱湯でゆでて、身を外してほぐしておく。
②カニの殻とカニミソを一番だしに入れて火にかけて、カニスープをとる。
③このカニスープと一番だしを同量ずつ合わせ、塩水と淡口醤油で味を調える。
④米を研ぎ、釜に入れ、カニのほぐし身と③を入れて炊く。水加減は普通のご飯と同じ。
⑤炊き上がったら、ゆがいた軸三ツ葉を散らす。

カラー128頁

ほうれん草すり流し　ふきのとう

ホウレン草
吸い地（一番だし、塩水、淡口醤油）、葛粉
フキノトウ、サラダ油

①ホウレン草を熱湯でゆがき、冷水にとる。水気をしっかり絞って、フードプロセッサーにかけたのち、裏漉しする。
②吸い地を熱し、水で溶いた葛粉を少量加えて、薄く葛を引く。ここに①のホウレン草を入れてよく混ぜる。味が足りなければ、塩水と淡口醤油を加える。
③フキノトウは、サラダ油で素揚げにする。
④器にすり流しを注ぎ、フキノトウを浮かべる。

カラー129頁

筍飯　叩き木の芽

タケノコ、吸い地（一番だし、塩水、淡口醤油）
米
一番だし、塩水、淡口醤油
木ノ芽

①タケノコはアク抜きをして、薄めに味を調えた吸い地で炊いて、そのまま冷まして味を含める。
②米を研ぎ、釜に入れ、さいの目に切ったタケノコ、塩水と淡口醤油で味を調えた一番だしを入れて炊く。水加減は普通のご飯と同じ。
③炊き上がったら、叩き木ノ芽を散らす。

木乃婦

髙橋拓児

*木乃婦のだしのとり方は130頁参照

カラー132頁

雲丹　鮑　キャビア

ウニ
アワビ2個
利尻昆布10g、酒1リットル、淡口醤油150㎖、砂糖28g
キャビア
ショウガ、花穂ジソ

①アワビを殻から外し、流水で洗う。少量の水とともに圧力鍋に入れて1時間火を通す。
②アワビを取り出し、煮汁を漉す。
③鍋に煮汁と利尻昆布、アワビを入れて火にかける。沸いたら酒、淡口醤油、砂糖を加え、ひたひたになるまで煮詰める。アワビと煮汁を別にしておき、煮汁は冷蔵庫に入れて冷やしておく。
④木箱にウニ、薄く切ったアワビ、キャビアを並べる。冷やした煮汁をかけ、針ショウガを天に盛る。花穂ジソを散らす。氷を詰めた器に入れる。

カラー133頁

焼き茄子　伊勢海老　八方ゼリー　胡麻クリーム

ナス
伊勢エビ
伊勢エビの殻1kg、懐石用の吸い物だし、淡口醤油、ミリン、酒
ゴマクリーム（白ゴマクリームペースト、煮切り酒少量、濃口醤油少量、砂糖少量）
うまだし1リットル、板ゼラチン9g
花穂ジソ

①ナスを真っ黒になるまで直火で焼き、氷水に落として皮をむく。
②伊勢エビを殻から外し、身と殻に分ける。
③伊勢エビの殻をつぶし、懐石用の吸い物だしで5分間くらい煮出す。ペーパータオルで漉して鍋に入れ、淡口醤油、ミリン、酒を加えて沸かす。①のナスを加えてサッと火を通す。鍋ごと氷水につけてそのまま味を含ませる。
④伊勢エビの身の表面をガスバーナーであぶる。適当な大きさに切る。
⑤白ゴマクリームペーストに煮切り酒、濃口醤油、砂糖を加えて混ぜ合わせてゴマクリームをつくる。
⑥うまだしを温め、水で戻して水気をきった板ゼラチンを加えて溶かす。冷蔵庫に入れて冷ます。
⑦器にゴマクリームを敷き、③のナスを乗せる。④の伊勢エビを盛り、⑥のうまだしのゼリーをかける。花穂ジソを添える。

蟹キャビア
香煎
八方酢ゼリー

ズワイガニ
八方酢（水2リットル、米酢1リットル、ミリン300㎖、淡口醤油200㎖、酒200㎖、昆布1本）、うまだし、板ゼラチン
キャビア、香煎

①ズワイガニを塩湯でカニの身の中心温度が90℃になるまでゆでる。おか上げし、身を取り出しておく。
②八方酢ゼリーをつくる。八方酢の材料をすべて合わせて火にかけ、自然に冷ましておく。この八方酢に対して、2倍のうまだしを合わせる。これを1リットル用意して温め、水で戻した板ゼラチン11gを溶かす。冷蔵庫で冷やし固める。
③キャビアと煎った香煎を混ぜ合わせる。
④器にカニの身を乗せ、③を盛る。八方酢ゼリーをまわしかける。

鱧吸い
鱧子玉〆
うき袋

ハモ、ハモの浮き袋、ハモの子、塩
ハモの中骨500g、利尻昆布25g、水10リットル、塩、酒、淡口醤油
懐石用の吸い物だし、塩、酒、淡口醤油
卵
水菜
ユズ

①ハモをおろし、浮き袋を取り出してハモの身と中骨に分ける。浮き袋はサッと塩湯でゆで、冷水にとって水気をきってきざんでおく。ハモの子はサッとゆがいておく。
②ハモの中骨に塩をふり、15分間くらいおいてペーパータオルで余分な水気をふく。天火で焼く。
③鍋に②と水、利尻昆布を入れて火にかけ、アクをとりながら5分間くらい沸かす。塩、酒、淡口醤油で味を調える。
④ハモの身を骨切りし、適宜の長さに切ってから沸した③にサッとくぐらせる。ハモの身が開いたら、おか上げしておく。
⑤懐石用の吸い物だしを静かに沸かし、塩、酒、淡口醤油で味を調えて吸い地とする。
⑥⑤に浮き袋とハモの子を加えて沸かし、溶き卵を入れてふんわりと丸くまとめる。
⑦紙鍋に③のハモのだしを注ぎ、④のハモを入れる。⑥の卵を入れ、吸い地を張る。塩湯でゆがいた水菜を適宜に切って添え、すりおろしたユズの皮をふる。

カラー135頁

牡丹河豚 白子柚庵焼 鉄皮

フグの切り身、皮、白子
フグの中骨500g、利尻昆布25g、水10リットル、塩、酒
幽庵地（濃口醤油1、ミリン1、酒1、ユズの輪切り適量）
葛粉
懐石用の吸い物だし
山アサツキ
木ノ芽

①フグの中骨に塩をし、15分間おいて水気をふき取る。天火できつね色になるまで焼く。
②鍋に①と利尻昆布、水を入れて火にかけ、5分間くらいアクを取りながら煮出す。塩と酒で味を調え、吸い地とする。
③幽庵地をぬりながら、白子を天火で表面が割れない程度に焼く。
④フグの切り身にボタンのように切り目を入れ、表面に葛粉をはたく。
⑤沸騰させただしに④を入れて軽く火を通し、ボタンフグとする。
⑥椀に白子とボタンフグ、湯引きしたフグの皮を入れ、熱した吸い物用のだしを張る。山アサツキと木ノ芽を添える。

カラー136頁

鮑おかき揚げ 万願寺あんかけ

アワビ2個
利尻昆布25g、酒1リットル、淡口醤油150㎖、砂糖200g
薄力粉、卵白、アラレ、白絞油
うまだし、葛粉
万願寺トウガラシ
ミョウガ

①アワビを洗い、1個は少量の水とともに圧力鍋に入れて1時間火を通す。アワビを取り出し、煮汁を漉す。鍋に煮汁と利尻昆布、アワビを入れて火にかける。沸いたら酒、淡口醤油、砂糖を加え、ひたひたになるまで煮詰める。マッチ棒サイズに切る。
②残り1個のアワビの殻を外し、身を7㎜厚さに切る。表面に切り目を入れ、薄力粉を薄くつけて卵白にくぐらせ、アラレをまぶす。170～180℃の白絞油で揚げる。アラレは、白いアラレを煎ってこげ目をつけ、つぶしたもの。
③①の煮汁にうまだしを加えて火にかける。水で溶いた葛粉を加えてゆるくとろみを出し、マッチ棒サイズに切った①のアワビを入れる。細く切った万願寺トウガラシを加え、10秒くらい温めたら火から下ろす。
④器に②のアワビを盛り、③のあんをかける。せん切りにしたミョウガを盛る。

カラー136頁

甘鯛 竹の子 甘酢あん

アマダイの切り身、塩、片栗粉
タケノコ、片栗粉
白絞油
うまだし（→131頁）、米酢、砂糖、葛粉
白髪ネギ、一味唐辛子

①アマダイに塩をし、2～3時間おく。余分な水気をふき取り、片栗粉をふる。
②タケノコは、米ぬかと赤唐辛子（共に分量外）でアク抜きして水にさらす。これを適宜切り、水気をふき取り、片栗粉をふる。
③アマダイとタケノコをそれぞれ170℃に熱した白絞油で揚げる。
④うまだしを8割になるまで煮詰め、漉してから米酢、砂糖を加えて味を調える。水で溶いた葛粉を加えてゆるめにとろみをつける。
⑤皿にアマダイとタケノコを盛り、上から④の甘酢あんをかける。白髪ネギを添え、一味唐辛子をふる。

蛤くず叩き 焼き蕪 焼き餅

ハマグリ、葛粉
利尻昆布、酒、ミリン、淡口醤油
カブ
モチ
葛粉
黒七味

①カブの皮をむかず、葉だけを切る。表面が軽くこげるくらいまで天火で焼く。
②ハマグリを殻から外し、ヒモを外して貝柱をとる。このときに出たハマグリの汁はとっておく。
③ハマグリの貝柱に切り目を入れ、葛粉を厚めにふる。
④②のハマグリの汁をペーパータオルで漉し、水、利尻昆布、酒、ミリン、淡口醤油を各適量加えて味を調える。
⑤④を沸かして③のハマグリを加えて少し煮る。
①のカブを八方にむく。葉が付いていた側を下にして器に盛る。
⑥炭火で焼いたモチをのせ、ハマグリを盛る。残った煮汁に水で溶いた葛粉を加えて軽くとろみをつける。黒七味をふる。

豆飯 フィレ肉味噌柚庵焼

エンドウ豆、重曹
エンドウ豆のサヤ500g、利尻昆布20g、水10リットル、酒、塩
米
牛フィレ肉（塊）
味噌幽庵地（白粒味噌1、濃口醤油1、酒1、ミリン1、ユズの輪切り適量）
練り芥子

①エンドウ豆をサヤから取り出す。サヤは熱湯にサッと通しておく。
②①のサヤと利尻昆布、水を入れて沸かして5分間くらい煮出す。塩と多めの酒で味を調える。
③米5合を1.3リットルの②で炊く。炊き上がったらサヤを取り出す。
④沸騰した湯にエンドウ豆の実を入れ、重曹を少量加えて薄皮がはじけるまでゆでる。氷水に入れ、ザルに上げて水気をきっておく。
⑤牛フィレ肉を2㎝厚さに切り、味噌幽庵地に7時間つける。串を打ち、芯温が37℃になるまで天火で焼く。そののち炭火で片面を10秒ずつ焼く。
⑥③のご飯と④の豆を混ぜ合わせて器に盛り、⑤の肉を適宜切って添える。練り芥子を添える。

蟹味噌炒飯

ズワイガニ
ご飯、白絞油、ショウガ、ズワイガニのカニミソ
ズワイガニ甲羅500g、利尻昆布20g、水10リットル、淡口醤油、塩
葛粉、酒、三ツ葉
ショウガ

①ズワイガニを身、脚、甲羅、カニミソに分ける。脚の殻を炭火であぶる。
②チャーハンをつくる。鍋に白絞油を引き、みじん切りのショウガを炒め、カニミソを加えて炒める。ご飯を加えてさらに炒めておく。
③ズワイガニの甲羅を粉々にし、利尻昆布とともに鍋に入れ、水を加えて沸かす。アクを引きながら煮詰めてズワイガニのだしをとる。
④③をペーパータオルで漉し、淡口醤油、塩で味を調える。水で溶いた葛粉を加えてゆるくとろみをつけ、酒を加える。三ツ葉（刻んで水にさらし、水気をきる）を散らす。
⑤鉄鍋にチャーハンを盛り、上に④を流す。蒸したカニの身を乗せ、あぶったカニの脚を並べる。針ショウガをたっぷり盛る。

カラー140頁

栗ご飯
渋栗

クリ（甘煮用）、重曹、ザラメ糖、砂糖
クリのだし（クリ500g、利尻昆布20g、水10リットル）、塩、酒
米
ユズ

①クリの鬼皮をむき、少量の重曹を入れた水にひと晩つけて水からゆでる。
②水をかえ、再び水からゆでる。鍋のまま、ひたひたの水にひと晩つけておく。
③②の鍋にザラメ糖、砂糖を加えて火にかけ、30分間くらい煮る。そのまま冷ます。
④クリのだしをとる。クリをむき、蒸し器で蒸す。火が通ったら炭火で表面を焼く。
⑤水の中に入れ、利尻昆布とともに20分間くらい時間をかけて煮詰める。
⑥さらに水を加え、再び時間をかけて煮詰める。ペーパータオルで漉す。
⑦洗った米5合を土鍋に入れ、⑥のクリのだし1.3リットルと塩、酒を加える。③のクリを半割りにして乗せ、米を炊く。
⑧ユズの皮をすりおろしてふる。

カラー141頁

甘鯛からすみご飯

アマダイ、塩、酒
カラスミ
カブとニンジンのだし（カブ4個、金時ニンジン2本、水10リットル）
アマダイの中骨500g、利尻昆布20g、酒200㎖、淡口醤油、塩
米、ショウガ
木ノ芽、ユズ

①アマダイを三枚におろし、身と骨に分ける。中骨に塩をふり、15分間おく。水気が出てきたらペーパータオルでふき、こがさないように天火で焼く。
②だしをとる。鍋に水を入れ、皮をむいてサッとゆがいたカブ、金時ニンジンを入れて、濁らないように40分間くらい煮詰める。ペーパータオルで漉し、カブとニンジンのだしをとる。
③鍋に②と利尻昆布、①の焼いた中骨を加える。沸いたらアクをとり、酒を加える。利尻昆布を入れたまま少し煮詰め、淡口醤油、塩を加えて、ご飯を炊く地とする。
④米5合を洗って水気をきっておく。鍋に米を入れ、ペーパータオルで漉した③を1.3リットル加える。きざみショウガを加えて混ぜ合わせ、炊く。
⑤アマダイの身をそぎ切りにし、薄く塩をして3時間くらいおく。余分な水気をふき取り、酒にサッとくぐらせる。串を打ち、炭火で両面を焼く。
⑥カラスミを5㎜厚さに切り、炭火で片面を焼く。
⑦炊き上がったご飯に⑤のアマダイと⑥のカラスミを乗せる。針ユズを盛り、木ノ芽を添える。

料理屋こだま

小玉 勉

＊こだまのだしのとり方は143頁参照

カラー144頁

京人参の梅炊き
鱈白子の白雪仕立て

京ニンジン、一番だし適量、梅干し2個、砂糖・淡口醤油各少量、追いがつお
タラの白子、だし（利尻昆布10g、水500㎖、酒100㎖、ミリン少量、塩小さじ1、淡口醤油5㎖）、へぎショウガ2〜3枚
牛乳ソース（牛乳、利尻昆布、酒、塩、淡口醤油、葛粉）
梅干しのジュレ（京ニンジン煮汁100㎖、ポン酢100㎖、粉ゼラチン4g、梅干し2個、一番だし適量）
芽ネギ

①京ニンジンは皮をむき、適当な大きさに切り分ける。水から下ゆでし、竹串がスッと通るまでやわらかく煮る。食べやすい大きさに切りそろえる。
②鍋に①の京ニンジンを入れ、一番だしをひたひたに注ぐ。梅干しを加えて弱火で炊く。砂糖と淡口醤油で味を調える。
③たっぷりと追いがつおをし、味がしみるまで20〜30分間ほど炊く。煮汁につけたまま冷蔵庫に入れておく。
④タラの白子は掃除をし、熱湯で霜降りする。しっかりと水気をきってから密閉容器に入れ、吸い地程度に味を調えた熱いだしを注ぎ、へぎショウガを入れる。だしは昆布を水に入れて火にかけ、しばらく煮たのち、昆布を取り出し、酒、ミリン、塩、淡口醤油で味を調えたもの。ラップフィルムで空気を遮断し、余熱で火を通しつつ、容器を氷につけて冷やす。そのまま煮汁につけて冷蔵庫に入れておく。
⑤牛乳ソースをつくる。牛乳を鍋に入れ、利尻昆布を加えて火にかける。昆布のうま味が出て、牛乳の臭みが飛んだら昆布を取り出し、酒、塩、淡口醤油で味を調える。水で溶いた葛粉で薄くとろみをつけて泡立て、ふんわり仕上げる。
⑥梅干しのジュレをつくる。鍋に京ニンジンの煮汁とポン酢を合わせて火にかける。水でふやかしておいた粉ゼラチンを煮溶かし、粗熱を取ってから密閉容器に入れて冷やし固める。ここに、梅干しを一番だしで炊いてつくった煮梅を包丁で叩き、加え混ぜる。
⑦③の京ニンジンと④の白子を器に盛る。塩昆布のみじん切りを加え混ぜた牛乳ソースと、梅干しのジュレをかける。芽ネギのみじん切りを飾る。

カラー145頁

とらふぐの魚骨スープ

魚骨スープ（トラフグのアラ4～5尾分、一番だし800㎖、水800㎖、酒400㎖、長ネギ白い部分100g、グレープシード油15㎖）
フグの身
*白菜のピュレ大さじ1、酒・淡口醤油各微量
ユズ、粉末ユズ

＊白菜のピュレ／白菜を一番だしでやわらかくなるまで蒸し煮にして、ミキサーにかけてなめらかにする。目の細かいザルで裏漉しする。白菜½個に対し、一番だし100㎖が目安。

①フグは締めてから1時間以内に解体したものだけを使用する。海水程度の塩水に氷を入れた中に身を10分間浸してから、水気と血をふき取る。
②アラ（2～2.5kg）を適当な大きさに切り分け、上火式のグリルで両面に焼き色をつける。
③鍋に一番だし、水、酒を注ぎ、②とグレープシード油で蒸し焼きにした長ネギを入れる。中火にして約20分間煮る。
④粗熱をとってからミキサーに入れて撹拌する。すべて細かく粉砕したら鍋に移す。
⑤弱火にかけて20分間煮る。じっくりと骨からうま味を煮出していく。途中、浮いてくるアクはそのままにしておく。
⑥目の細かいザルで⑤を漉す。うま味を残さないように、きっちり絞る。密閉容器に入れて冷蔵庫で保存する。
⑦人数分の魚骨スープ（1人分75㎖）を鍋に入れ、火にかける。白菜のピュレを加え、ひと煮立ちしたら、微量の酒と淡口醤油で味を調える。食べやすい大きさに切りそろえたフグの身を入れ、火を通す。
⑧熱した器に1人分を流し入れ、少量のすりおろしたユズの皮と粉末ユズをふる。

カラー146頁

トリュフの茶碗蒸し

トリュフのマリネ（トリュフ・塩・オリーブ油各適量）
干椎茸40g
玉ネギ200g、シメジ茸・マイタケ各1パック、クルミ油適量、一番だし
茶碗蒸しの地（一番だし150㎖、卵1個）適量
トリュフ油、オリーブ油、塩

①干椎茸を10倍の水につけ、ラップフィルムで密閉した状態で2日間おく。水から取り出し、石突きを取って半分にし、戻し汁は漉し取っておく。
②火にかけた鍋にクルミ油を少量引き、スライスした玉ネギを入れて蓋をする。香りを逃さないように蒸し焼きにし、甘みと香ばしさを引き出す。
③シメジ茸とマイタケを適当な大きさにほぐして②に加え、蓋をして蒸し焼きにする。
④香りが出たら、①の干椎茸と戻し汁を加える。一番だしを注ぎ、30分間ほど煮込んでやわらかくする。そのまま冷ましておく。
⑤トリュフのマリネをつくる。トリュフをスライスし、塩をまぶしてから密閉容器に入れ、オリーブ油を満たす。しっかり蓋をして湯煎し、冷蔵庫で保存しておく。
⑥ミキサーに④と⑤のオイルを入れ、ペースト状にする。
⑦器の⅓程度の量まで、茶碗蒸しの地を注いで

蒸し器で蒸し、茶碗蒸しをつくる。
⑧⑥のペーストを鍋に取って温め、トリュフ油とオリーブ油を加え、塩で調味する。⑦の上に流し入れ、トリュフのマリネを添える。

カラー147頁

聖護院大根 本鮪頬肉の南蛮味噌炒め

聖護院大根1個、羅臼昆布20g、水800mℓ、タイの骨50g、塩、淡口醤油、砂糖、鰹本枯節（血合い抜き）30g、葛粉
フキノトウ2個、天ぷら衣（薄力粉、卵水）
本マグロホホ肉、ゴマ油、酒
＊南蛮味噌少量

＊南蛮味噌／田舎味噌大さじ2、ヤンニンジャン（醤油をベースにネギ、ゴマ、唐辛子などの薬味を加えた韓国の合わせ調味料）小さじ1、おろしショウガ小さじ1/2、酒30mℓ、もろみ醤油5mℓ、唐辛子（きざんでから、一番だしでクタクタになるまで煮込んだもの）少量、ゴマ油15mℓ、ネギの炒め煮などを混ぜ合わせたもの。

①聖護院大根は皮をむき、くし形に切りそろえる。
②鍋に羅臼昆布と聖護院大根を入れ、水を注ぐ。焼いたタイの骨をガーゼで包んで入れ、火にかける。グツグツする程度の火加減で煮込み、聖護院大根がやわらかくなったら、ごく弱火にする。塩、淡口醤油、砂糖各少量で調味し、追いがつおをする。
③聖護院大根を取り出し、漉した煮汁につけて保存しておく。
④フキノトウは天ぷらにして食べやすい大きさに切り、本マグロのホホ肉はひと口大に切りそろえる。ゴマ油でホホ肉をソテーし、酒を入れて蒸し焼きにしてから、フキノトウの天ぷらを合わせる。そこに南蛮味噌を加え、よくからませる。
⑤③の聖護院大根は煮汁とともに鍋で温め、淡口醤油で味を調える。水で溶いた葛粉を加えてとろみをつける。
⑥椀に⑤を盛り、④を添える。

カラー147頁

スッポンの赤ワイン煮込み
柿グラタン

スッポン1匹（900〜1000g）、赤ワイン*750㎖、
白ワイン200㎖、水225㎖、淡口醤油・葛粉各適量
柿1個分
グレープシード油適量
ローストガーリック、フライドオニオン

*亜硫酸未使用の自然派ワインを使用する。

①鍋に赤ワイン、水（赤ワインの3割程度）、白ワインを入れ、さばいたスッポン（脂は徹底的に取り除く）1匹分を入れて煮立たせる。アクはていねいに取り除く。
②1時間程度煮込んだら、身にうっすらと下味がつく程度に淡口醤油を加え、温度を75℃に保って5分間静かに煮る。
③身を取り出し、ていねいに骨を取り除く。2割ほど煮詰めたら、煮汁をキッチンペーパー（リードペーパー）で漉して保存しておく。
④適量の煮汁を鍋に取り、水溶き葛粉でとろみをつける。
⑤耐熱皿にグレープシード油をぬり、③のスッポンと皮をむいた柿を入れる。オーブンである程度焼いてから、グレープシード油をまわしかける。ローストガーリックを散らして、④をかける。その上にフライドオニオンを散らして、オーブンで加熱する。熱々の状態で提供する。

カラー148頁

イイダコとフキの炊き合わせ
花山葵のジュレ

イイダコ1kg、一番だし1200㎖、煮切り酒200㎖、
砂糖80g、淡口醤油50㎖、濃口醤油100㎖
フキ、塩、一番だし
花ワサビ、塩、砂糖
琥珀ゼリー（一番だし450㎖、淡口醤油15㎖、かえし*15㎖、塩小さじ1/3、粉ゼラチン6g）
ライム

*かえし／ミリン1合（180㎖）を鍋で煮切り、濃口醤油5合（900㎖）、たまり醤油1合（180㎖）、洗双糖180gを加え、80℃まで温める。泡状のアクが出たら取り除いて冷まし、しばらくねかせる。

①イイダコは掃除をし、脚と頭に切り分ける。墨袋を取り除いておく。どちらも、塩（分量外）でもんでから水洗いし、サッと霜降りする。
②一番だしに、煮切り酒、砂糖、淡口醤油、濃口醤油で味つけし、煮汁をつくる。ここにイイダコを入れ、脚は20〜30秒間程度サッとゆでておか上げする。頭は、65℃を保った煮汁で10分間煮る。そのまま煮汁につけておき、煮汁が冷めたら脚を加えてつけ込む。
③フキは塩で板ずりしてしんなりさせ、そのまま10〜15分間おく。沸騰した湯でやわらかくなるまでゆで、冷水に取ってから皮をむく。タオルでしっかりと水分を吸い取り、一番だしにつけておく。
④花ワサビを花、葉、軸に分け、それぞれを同じ程度の大きさに切りそろえる。塩をふって10分間おき、65℃の湯で10秒間サッとゆでる。すぐに冷水に取って色止めし、砂糖をまぶして密閉容器に入れて保存する。
⑤琥珀ゼリーをつくる。鍋に一番だしを注いで火にかける。淡口醤油、かえし*、塩を加えて味を調える。水でふやかしておいた粉ゼラチンを煮溶かし、粗熱を取ってから密閉容器に入れて冷やし固める。
⑥琥珀ゼリーに④を混ぜ合わせ、花ワサビのジュレとする。
⑦イイダコとフキを盛り合わせ、花ワサビのジュレをかける。ライムの搾り汁をまわしかけて供する。

カラー149頁

穴子のふっくら煮と新ジャガイモ 馬鈴薯のすり流し

穴子のふっくら煮（アナゴ１kg、洗双糖30g、酒90㎖、ミリン45㎖、濃口醤油75㎖）
新ジャガイモ、揚げ油
馬鈴薯のすり流し（ジャガイモ４００g、長ネギ１００g、グレープシード油15㎖、一番だし５００㎖、牛乳１００㎖、塩少量）
アナゴのツメ*適量、黒酢適量

*アナゴのツメ／アナゴの煮汁をためておき（約３回分）、煮詰める。ある程度煮詰めたらミリンを加え、さらに加熱し、ねっとりするまで煮詰めたもの。

①穴子のふっくら煮をつくる。さばいたアナゴは、しっかりとぬめりを取り、３cm幅に切りそろえる。鍋に水を張り、洗双糖、酒、ミリンを加えて強めの中火にかける。アナゴを加え、アクをていねいに取り除きながら、20分間中火で煮る。濃口醤油を加えてキッチンペーパー（リードペーパー）をかぶせ、さらに20分間弱火で煮込む。
②新ジャガイモは、食べやすい大きさに切り分ける。１６０℃の油で火を通し、一旦取り出してから１７５℃の油で再度揚げ、カリッと仕上げる。
③馬鈴薯のすり流しをつくる。薄切りにしたジャガイモと長ネギをグレープシード油で炒め、甘みが出てきたら一番だしを加えて煮込む。やわらかくなったらミキサーでなめらかにし、塩で味つけして、牛乳を加え混ぜる。
④アナゴの煮汁でつくったツメ*に、黒酢を加え混ぜてソースとする。
⑤アナゴと新ジャガイモを盛り合わせ、③のすり流しと、④のソースをかける。

カラー150頁

春摘み山菜の蒸し焼き ふきのとうのソース

ふきのとうのソース（フキノトウ４個、コマツ菜１束、菜ノ花１束、塩適量、練りゴマ80g、一番だし１５０㎖、濃口醤油20㎖、淡口醤油20㎖）
フキノトウ２〜３個、天ぷら衣、揚げ油
菜ノ花２〜３本
コゴミ２〜３本
タラノ芽２〜３本
グレープシード油適量

①ふきのとうのソースをつくる。塩ひとつまみ（分量外）を入れた湯で、フキノトウをゆでる。すぐに冷水にとり、水の表面にラップフィルムをかぶせて変色を防ぐ。
②コマツ菜を指で押して軽くつぶれるくらいやわらかくゆでて、冷水にとり、粗熱がとれたら水気をきる。フードプロセッサーでスジがなくなるくらいまでなめらかにしたら、ペーパータオルを敷いたザルにあけて水気をきる。
③菜ノ花も同様の作業をして、水気をきっておく。
④②と③をミキサーに入れ、練りゴマ、一番だし、濃口醤油、淡口醤油を加える。ミキサーをまわし、途中で①のフキノトウを加えて苦みを調整する。全体が均一に混ぜてふきのとうのソースとする。密閉容器に入れて保存する。
⑤フキノトウは、半割りにして薄めの天ぷら衣

をつけて揚げ、食べやすい大きさに切りそろえる。菜ノ花、コゴミ、タラノ芽は、そのままそれぞれ食べやすい大きさに切りそろえる。
⑥耐熱容器に⑤を並べ、塩とグレープシード油をふりかける。ふきのとうのソースをかけ、水を張ったオーブンに入れて蒸し焼きにする。

カラー150頁

ホタルイカの茶碗蒸し イカ墨のソース

ホタルイカ3〜4杯
イカ墨のソース（白菜のピュレ*適量、一番だし少量、イカスミ（パック状の商品）少量、いしる**少量）
茶碗蒸しの地（一番だし150㎖、卵1個）

*白菜のピュレ／白菜を一番だしでやわらかくなるまで蒸し煮にして、ミキサーにかけてなめらかにする。目の細かいザルで裏漉しする。白菜1/2個に対し、一番だし100㎖が目安。

**いしる／魚醤の一種で、イカの内臓に塩を混ぜて発酵させたもの。能登や佐渡などでつくられる。

①ホタルイカは汚れを洗い、たっぷりの湯でサッとゆでて氷水にとる。しっかり水気をきっておく。
②イカ墨のソースをつくる。白菜のピュレを鍋に取り、一番だし少量でのばす。イカスミを加え混ぜ、いしるで味を調える。
③器の1/3程度の量の茶碗蒸しの地を注いで、蒸し器で蒸して、茶碗蒸しをつくる。
④その上にホタルイカを盛り、②のソースをかける。

カラー151頁

とらふぐの造り サラダ仕立て

トラフグ、ダイコン、自家製カラスミ
長ネギ、白煎りゴマ
ポン酢適量、ユズの搾り汁少量、ゴマ油少量、ユズドレッシング*適量

*ユズドレッシング／一番だし30㎖、ユズの搾り汁80㎖、粉末ユズ小さじ1、ユズコショウ小さじ1/4、塩小さじ1、淡口醤油4㎖、太白ゴマ油40㎖を合わせたもの。

①トラフグをさばいて、皮、トオトウミなど、食べられる部位を小さく切りそろえ、霜降りして、しっかり水気を切っておく（刺身にできる上身は取っておく）。
②ダイコンは極細のせん切りと、ダイコンおろしの両方を用意する。
③カラスミをみじん切りにし、バーナーで香ばしく焼く。
④ボウルに①②③を適量ずつ合わせ、長ネギのみじん切り、白煎りゴマを加えて混ぜ合わせる。ポン酢、ユズの搾り汁、ゴマ油、ユズドレッシングをまわしかけて和える。
⑤トラフグの上身を薄切りにする。
⑥器に、④と⑤を交互に重ねて山に盛る。天に薄切りのカラスミを添える。

カラー152頁

桜切り
桜風味のゼリー

桜切り（桜葉の塩漬け30g、そば粉300g、中力粉100g、水170㎖）
桜風味のゼリー（桜葉の塩漬け24g、一番だし500㎖、千鳥酢10㎖、淡口醤油5㎖、粉ゼラチン8g）、桜花の塩漬け適量
ブリーチーズのソース* 適量

*ブリーチーズのソース／ブリーチーズを適当にちぎって鍋に入れ、牛乳と塩を加え、弱火にかけて蓋をする。チーズが溶けたら、ミキサーにかけて目の細かいザルで漉し、ダイダイ酢を加えて冷やしておく。

①桜切りをつくる。桜葉の塩漬けを水に浸して少し塩抜きし、ペースト状になるまですりつぶす。そば粉に2〜3割程度の中力粉を合わせたところに、桜葉のペーストと水を加えてよく混ぜ合わせる。ひとまとまりになったら取り出し、手でこねる。生地の表面がなめらかになったら、へそ出しして空気を抜き、薄くのばす。およそ1.5㎜の厚さになったら、生地を重ねて2㎜幅に切りそろえる。
②桜風味のゼリーをつくる。桜葉の塩漬けを流水で洗い、水気をしっかりふき取る。一番だしは千鳥酢と淡口醤油で味を調えて火にかけ、ひと煮立ちさせる。桜葉を入れて蓋をして10分間蒸らし、だしに桜の葉の香りを移す。
③このだしに、ふやかした粉ゼラチンを加えて冷やし固める。桜花の塩漬けを流水で洗い、水にさらして塩抜きする。桜の花の水気をよく絞り、ガクの部分を取り除いてみじん切りにする。固まったゼリーと花を混ぜ合わせる。
④桜切りをゆで、冷水でしめる。しっかり水気を切ってから、桜葉の塩漬けを敷いた器に丸く盛り、中心にブリーチーズのソースを添える。
⑤こんもりと桜風味のゼリーをかける。

カラー153頁

揚げた白葱と青葱のソース

下仁田ネギ白い部分、片栗粉、揚げ油
青葱のソース（下仁田ネギ青い部分100g、ゴマ油・酒各適量、カシューナッツ20g、一番だし100㎖、塩適量）

①青葱のソースをつくる。下仁田ネギの青い部分をざく切りにし、ゴマ油を引いたフライパンで蒸し焼きにする。じっくり火を入れて甘みを出す。
②ネギがしんなりしてきたら、酒をまわしかけ、フライパンにこびりついたうま味をこそげ落とす。ミキサーに入れて、カシューナッツと一番だしを加える。なめらかになるまでまわし、塩で味を調える。
③下仁田ネギの白い部分を2㎝幅に切りそろえ、片栗粉をまぶして揚げ油で揚げる。
④食べやすく半分に切り分けて器に盛り、青葱のソースをかける。

かんだ

神田裕行

*かんだのだしのとり方は155頁参照

カラー156頁

ミックスリーフの胡麻入りジュレがけ

胡麻入りジュレ(二番だし400㎖、淡口醤油50㎖、ミリン50㎖、煎りゴマ大さじ2、板ゼラチン9g)

デトロイト、万能ネギ、アンディーブ、サニーレタス、グリーンアスパラガス

スダチ

①胡麻入りジュレをつくる。二番だし、淡口醤油、ミリンを鍋に入れてひと煮たちさせ、煎りゴマを加える。

②煎りゴマがふくらんだら、水で戻して水気をきった板ゼラチンを加えて溶かす。冷蔵庫で冷やしてゴマ入りジュレとする。

③グリーンアスパラガスを適当に切り、塩湯でゆでて冷水にとって水気をきる。

④器に適宜に切ったアンディーブ、サニーレタス、デトロイト、万能ネギ、グリーンアスパラガスを盛りつけ、ゴマ入りジュレをかける。すりおろしたスダチの皮をふる。

カラー156頁

蚕豆と海老真蒸の椀仕立て

車エビ

ソラ豆

すり身、卵の素*(卵黄1個、サラダ油40㎖、塩小さじ2)

塩

ワカメ(乾燥)、コゴミ

一番だし、酒、淡口醤油、塩

*卵の素／卵黄を溶きほぐし、サラダ油を少しずつ加えながら乳化させる。塩で味を調える。

①車エビを熱湯にサッとくぐらせ、冷水にとって水気をきる。殻をむいてから細かくきざむ。

②ソラ豆をサヤから取り出し、薄皮をむいて塩湯でゆでて冷水にとり、水気をきっておく。1/3量をフードプロセッサーにかける。

③②の残り2/3量を包丁で細かく砕く。

④②のソラ豆にすり身と卵の素を適量加え、さらにフードプロセッサーにかける。

⑤①の車エビと③のソラ豆を④にさっくりと混ぜ合わせ、塩で味を調える。球形に形を整え、蒸して真蒸とする。

⑦一番だしを鍋に入れ、酒、淡口醤油、塩各適量を加えて味を調えて吸い地をつくる。

⑧コゴミは塩をまぶしてしばらくおき、水気をふき取って塩湯でサッとゆでる。ワカメは水で戻して水気をきる。適宜に切ったコゴミとワカメを⑦の吸い地で炊く。

⑨器に真蒸を入れ、⑦の吸い地を注ぐ。

カラー157頁

潮汁

タイの頭、塩、利尻昆布、酒、水
ワカメのスジ
スダチ、木ノ芽

①タイの頭を適宜に切り、サッと湯引きして冷水にさらす。水気をきっておく。
②タイに薄く塩をふり、15分間くらいおく。
③鍋に②のタイ、水、酒、利尻昆布を入れて沸かし、アクを取りながら4～5分間炊く。
④頭を椀に盛り、鍋に残った汁にワカメのスジを入れ、酒を加える。タイの頭が入った器にワカメを盛り、輪切りのスダチと木ノ芽を添える。

カラー158頁

桜鱒の粕汁

サクラマスの切り身
ゴボウ
一番だし
セリ
酒粕ペースト*(酒粕700g、白味噌80g、水100mℓ、酒100mℓ)
ユズ

*酒粕ペースト／材料を合わせ、フードプロセッサーにかけておく。酒粕は袋吊りのゆるいものを使用。

①一番だしでささがきにしたゴボウとサクラマスを煮る。
②火が通ったら、適当に刻んだセリを加えてサッと火を通し、酒粕ペーストを適量加えて味を調える。
③②を器に盛り、小角に切ったユズを散らす。

カラー158頁

豚のみぞれ煮

一番だし、淡口醤油、酒、塩
豚ロース肉
カブ
菜ノ花
ユズ

①鍋に一番だしを入れ、淡口醤油、酒、塩で味を調える。
②沸いたら薄切りにした豚ロース肉を加えて煮る。アクをていねいに引く。
③すりおろして水気をきったカブを加え、菜ノ花を加える。
④器に盛りつけ、せん切りのユズを添える。

カラー159頁

牛ほほ肉の赤ワイン煮

牛ホホ肉（塊）500g、水約2リットル、酒
三温糖、濃口醤油、たまり醤油
ホールトマト200g
赤ワイン（カベルネ・ソーヴィニヨンタイプ）100㎖

①土鍋に牛ホホ肉とかぶるくらいの水を入れ、酒を少量加えてアクを取りながら蓋をして3～4時間煮る。
②牛ホホ肉がやわらかくなったら取り出し、10等分に切る。土鍋に戻し、蓋をしないで水分が半分になるまで煮詰める。
③三温糖、濃口醤油、たまり醤油を加えてさらに半量になるまで煮詰める。ここに裏漉ししたホールトマトを加えて煮詰め、赤ワインを加えてさらに少し煮詰めて仕上げ、盛りつける。

カラー160頁

干貝柱と白菜の小鍋仕立て

干貝柱のだし
白菜
塩

①土鍋に干貝柱のだしを入れて沸かす。
②ここに細長く切った白菜を、芯、葉の順番で加える。
③芯がやわらかくなったら、塩を加えて味を調える。土鍋のまま提供する。

カラー161頁

茄子の葛煮

ミズナス、サラダ油
二番だし、ミリン、淡口醤油、濃口醤油
ショウガ
葛粉
ユズ

①ミズナスのヘタを取り、縦4等分に切る。皮目に包丁を入れ、180℃のサラダ油でサッと油通しする。キッチンペーパーで余分な油をふき取る。
②二番だしをひと煮立ちさせ、ミリン、淡口醤油、濃口醤油で味を調える。①のナスを加える。
③一旦ナスを取り出し、残った煮汁にショウガの搾り汁、水に溶かした葛粉を加えて混ぜ合わせ、とろみをつける。
④③にナスを戻す。器にナスと煮汁を盛りつけ、ユズの皮のすりおろしをふる。

カラー162頁

さわら鍋

サワラの切り身
タケノコ、二番だし、砂糖、淡口醤油、濃口醤油、ミリン
九条ネギ、菜ノ花、田ゼリ、ワラビ（アク抜きしたもの）
割り下（二番だし、淡口醤油、ミリン）
ユズ

①サワラをサッと湯引きし、氷水につけて水気をきっておく。
②タケノコは、米ぬか（分量外）を加えた水で3〜4時間煮て、やわらかくなったら火から下ろしてそのまま冷ます。二番だしに砂糖、淡口醤油、濃口醤油、ミリンを加えて煮含める。
③鍋に割り下を入れて沸かし、適宜に切ったタケノコ、九条ネギ、菜ノ花、田ゼリ、ワラビを加えてひと煮立ちさせる。サワラを加えて煮る。
④器に盛り、細く切ったユズの皮を散らす。

カラー163頁

貝鍋

アサリ
ハマグリ
水（京都の伏水*）、利尻昆布
淡口醤油
ワカメ（乾燥）
木ノ芽、ウド

*伏水／黄桜酒造の酒の仕込み水。ペットボトル入り。

①「伏水」のペットボトルに昆布を細長く切って入れ、1時間おく。
②昆布だしを土鍋に移し、よく洗って30分間真水にさらしたハマグリとアサリを加える。
③火にかけて蓋をし、殻が開いてきたらアクをすくう。淡口醤油で味を調える。少し大きめに切ったワカメ（水で戻しておく）を加え、木ノ芽と花びらにむいたウドを添える。

カラー164頁

鯛とふきのごはん

タイの切り身9枚
タイの骨のだし（タイの中骨1尾分、天然羅臼昆布15g、水（ボルビック*）1.5リットル、酒少量）４５０mℓ、ミリン、淡口醤油、塩
米2合
フキ
ケシの実

*ボルビック／軟水のミネラルウォーター。ペットボトル入り。

①タイの中骨を羅臼昆布とともに水からゆっくりとアクをとりながら20分間くらい煮出し、酒を少量加えてサラシの布巾で漉し、タイの骨のだしをとる。
②米が水を吸って白色になるまで米を浸水する。ザルに上げ、水気をきっておく。
③タイの骨のだし４５０mℓにミリン、淡口醤油、塩を加えて味を調える。
④フキは塩ずりしてから銅鍋でゆで、水にさらして皮をむいておく。銅鍋を用いると色が鮮やかにゆで上がる。
⑤土鍋に②の米と③のタイの骨のだしを加え、蓋をして炊く。米が炊き上がったら火を止め、薄くそいだタイの切り身と適宜に切ったフキを上に乗せ、さらに蓋をして5分間蒸らす。ケシの実をふる。

カラー165頁

トマトそうめん

チェリートマト
二番だし、塩、淡口醤油
そうめん
スダチ

①チェリートマトを80℃の湯につけて皮を湯むきする。
②二番だしに塩、淡口醤油を加えて味を調え、トマトを4～5分間煮る。煮汁につけたまま冷ます。
③そうめんをゆでて冷水で洗い、②の煮汁少量を別に取り分けて、そうめんを温める。
④器にそうめんを盛り、トマトを盛る。煮汁をかけ、すりおろしたスダチの皮をふる。

カラー165頁

せり雑炊

タイの切り身
タイの骨のだし（タイの中骨1尾分、天然羅臼昆布15g、水（ボルビック）1.5リットル、酒少量）、塩、淡口醤油、ミリン
ショウガ、セリ、卵
ご飯
粉サンショウ

①タイの骨を羅臼昆布とともに水からゆっくりとアクをとりながら20分間くらい煮出し、酒を少量加えてサラシの布巾で漉し、タイの骨のだしをとる。
②①に塩、淡口醤油、ミリンを加えて味を調え、細かくきざんだタイの切り身を加える。
③ひと煮立ちしたらアクをとり、ショウガの搾り汁を加える。ご飯を入れてほぐす。
④ご飯が温かくなったら、穴杓子でご飯とタイをすくい、器に盛る。
⑤鍋に残った汁にきざんだセリを加えてひと煮立ちさせ、溶き卵を加えて軽く混ぜ合わせる。火を止めてご飯とタイにかけ、粉サンショウをふる。

大本山永平寺

三好良久

＊永平寺のだしのとり方は167頁参照

カラー168頁

「膳」
白飯　沢庵
味噌汁
平皿（煮物）
小皿（山芋）

参籠者に出される食事の一例。通常は麦飯だが、毎月29日の道元禅師の命日、24日の二祖国師の命日、特別な勤行をする祝祷日の1日と15日、4と9がつく四九日（雲水が勤行と掃除を除く座禅や作務を休み、別の修行を行なう日）は、白飯を盛る。味噌汁の具は厚揚げと白菜、中央の沢庵は毎年まとめて仕込んでいる。小皿の料理は、精進だしで炊いた山菜に、すりおろした山芋をかけたもの。平皿には、飛竜頭、レンコン、昆布を精進だしで炊き、淡口醤油と砂糖で調味した煮物を盛っている。

なお、料理の味加減は、どれもすべて人それぞれに好みがあるので、濃味であっても、また淡味につくってもよい。料理をつくる本人がおいしいと思ったら、それが自分の味となる。

◎味噌汁

厚揚げ
白菜
精進だし、田舎味噌

①精進だしを火にかけて熱し、ざく切りにした白菜を入れ、火が通ったら角切りの厚揚げを入れる。
②味噌を漉し入れ、サッと煮て椀に盛る。

◎平皿

飛竜頭
レンコン
昆布
精進だし、砂糖、淡口醤油

①飛竜頭を用意する。レンコンは半月切りにする。昆布は結んでおく。
②精進だしにレンコンを入れて煮て、火が通ったら砂糖、淡口醤油で味をつける。
③飛竜頭と昆布もそれぞれレンコンと同様に煮て味を含める。
④飛竜頭、レンコン、昆布を盛り合わせる。

◎小皿

ワラビ、細竹、キクラゲ、エノキ茸、精進だし、淡口醤油、酒、塩
ヤマイモ、淡口醤油

①ワラビ、細竹はアクを抜いた水煮を用意する。キクラゲはぬるま湯につけて戻す。エノキ茸は石突きを切り落とす。それぞれを淡口醤油、酒、塩で味を調えた精進だしで別々に煮たのち、そのまま冷まして味を含める。
②ヤマイモをすりおろし、淡口醤油少量で薄味をつける。器に山菜を盛り合わせ、すりおろしたとろろをかける。

＊沢庵、白飯は省略。

カラー169頁

胡麻豆腐二種

基本の胡麻豆腐の地（葛粉1、白練りゴマ1、精進だし7）
練り味噌（八丁味噌2、ミリン1、酒1、砂糖1.5、精進だし少量）

①葛粉、白練りゴマ、精進だしを、右の割合で合わせる。
②火にかけて20分間ほど練る。
③型に②の地を流して冷やし固める。
④1人分を切り出して器に盛り、練り味噌を添える。練り味噌は八丁味噌にミリン、酒、砂糖、精進だしを加えて火にかけて練ってある。

（煎りゴマの胡麻豆腐）
基本の胡麻豆腐の地
白煎りゴマ
練り味噌

①胡麻豆腐の地をつくり、型に流し入れ、表面に白煎りゴマをたっぷりふってから冷やし固める。
②1人分を切り出して盛りつけ、練り味噌を添える。

カラー170頁

酢蓮根

レンコン80g
精進だし75㎖、酢30㎖、砂糖大さじ2.5、ミリン少量、酒小さじ0.5、塩少量
菊花のおひたし、タカノツメ

①レンコンを薄切りにし、酢水（分量外）にとる。
②精進だしでレンコンを煮て、酢、砂糖、ミリン、酒、塩を加えて味つけして火を止める。
③そのまま冷まして煮汁に浸しておき、器に盛る際に菊花のおひたしとタカノツメを飾る。

カラー171頁

吸い物

昆布だし、酒、淡口醤油
シメジ茸、とろろ昆布、麩、ユズ

①昆布だしを熱し、酒と淡口醤油で味を調える。
②下ゆでしたシメジ茸と、とろろ昆布、麩、ユズの皮を椀に入れ、熱いだしを注ぐ。

カラー172頁

飛竜頭と大根の煮物

飛竜頭（木綿豆腐、自然薯、ユリ根、キクラゲ、ゴボウ、レンコン、ギンナン、ニンジン、揚げ油）

ダイコン

精進だし、酒少量、淡口醤油少量

①飛竜頭をつくる。木綿豆腐を裏漉しし、すりおろした自然薯を1割加える。

②ユリ根、キクラゲ、ゴボウ、レンコン、ギンナン、ニンジンなどの具を小さく切りそろえ、加え混ぜる。手で食べやすい大きさに丸めて、油で揚げる。

③ダイコンを1cm厚さの角に切る。

④精進だしに、酒と淡口醤油で味つけした煮汁で、飛竜頭とダイコンを煮る。

カラー172頁

大根の煮物

ダイコン、ゴマ油またはサラダ油

精進だし、砂糖、淡口醤油、酒

①皮をむいたダイコンを適宜に切り分け、煮くずれないように、軽く面取りする。

②面取りしたダイコンを、ゴマ油かサラダ油で炒めたのち、砂糖少量、淡口醤油少量を加え、精進だしをひたるくらい注ぎ、酒を加えて煮含める。

カラー173頁

つぼ料理

茶そば

干椎茸

花麩、混合だし（昆布だし、椎茸だし）

禅定麩*

ダイコンおろし、三ツ葉

天つゆ（精進だし5、砂糖1、淡口醤油3、ミリン2）

*生麩を醤油とミリンで味つけし、油で揚げたもの。

①茶そばはたっぷりの熱湯でゆでて冷水で締め、余分な水気を切っておく。

②干椎茸は、だしをとったあとのものを使用し、食べやすい大きさに切っておく。

③花麩は、混合だしで炊いておく。

④禅定麩にお湯をかけて、油抜きする。食べやすい大きさに切る。

⑤器に茶そば、干椎茸、花麩、禅定麩を盛り、ダイコンおろしをかけて刻んだ三ツ葉を散らす。上から天つゆをまわしかける。天つゆは精進だしに砂糖、淡口醤油、ミリンを加えて一旦沸してつくる。常温に冷まして用いる。

炊き合せ

ヨモギ麩、精進だし、淡口醤油、酒、ミリン
コンニャク、サラダ油、濃口醤油、酒、ミリン、七味唐辛子
ユリ根、精進だし、淡口醤油、砂糖、塩、酒
ニンジン、ゴマ油、精進だし、淡口醤油、砂糖、酒、塩、ミリン
サンド豆、精進だし、淡口醤油、酒、ミリン

①ヨモギ麩。精進だしに、淡口醤油、酒、ミリンで味つけし、ヨモギ麩を煮含める。
②コンニャク。コンニャクをサラダ油で炒め、濃口醤油、酒、ミリンを加えて炒め煮にする。最後に七味唐辛子をふりかける。
③ユリ根。ユリ根を掃除し、鱗片の先を切り取る。外側から内側に向けて、順に高くなるように切る長さを調節する。牡丹の花のようなことから、牡丹百合根という。これを、精進だしに淡口醤油、砂糖、塩、酒で味つけした煮汁で炊く。
④ニンジン。皮をむいたニンジンを適宜な大きさに切り分け、ゴマ油で炒める。精進だしに、淡口醤油、砂糖、酒、塩で味つけした煮汁で煮含め、仕上げ直前にミリンを加える。
⑤サンド豆。ヘタと筋を取り除き、精進だしに淡口醤油、酒、ミリンで味つけした煮汁でサッと煮含める。
⑥それぞれを盛りつける。

築地本願寺 紫水

長島 博

＊紫水のだしのとり方は76～80頁参照

カラー77頁

煮しめ

高野豆腐、精進だし1.8リットル（1升）、砂糖150g、淡口醤油144㎖
粟麩、白絞油、精進だし1080㎖（6合）、ミリン144㎖、濃口醤油144㎖、砂糖少量
干椎茸
ニンジン
レンコン、水1.8リットル、砂糖300g、塩5g、レモン
カボチャ、水、砂糖、淡口醤油、レモン
ゴボウ
絹サヤエンドウ

①高野豆腐は、精進だし1.8リットルに、砂糖150gと淡口醤油144㎖を加えた地で煮含める。
②粟麩は、170～175℃に熱した白絞油（1度使用した油）で揚げて、熱湯で油抜きし、精進だし1080㎖に、ミリンと濃口醤油を各144㎖、砂糖少量を加えた地で煮含める。
③精進だしに使用した干椎茸を、②を煮含めた地で煮含め、五分ほど火を入れておく。
④ニンジンは、皮むいて食べやすく切りそろえ、①を煮含めた地で煮て、五分ほど火を入れておく。
⑤レンコンは、皮をむき、レモン汁につけてアク止めする。ゆでてから切りそろえ、水1.8リットル、砂糖300g、塩5gを合わせ、レモンの輪切りを加えた地で煮含める。
⑥カボチャは、切り分けて皮をむき、面取りする。皮目を下にして鍋に並べ、ひたひたの水を張って火にかける。串がスッと通るようになったら、カボチャ1切れに対し3gの砂糖を加える。上がりに、淡口醤油とレモンの輪切りを入れて味を調える。
⑦ゴボウは、輪切りにして米ぬか（分量外）でぬかゆがきする。水によくさらしてぬか臭さを抜き、②と同じ地で煮含める。
⑧絹サヤエンドウは熱湯でサッとゆでる。
⑨干椎茸とニンジンを再び火にかけて煮上げる。
⑩器にそれぞれを盛りつける。

カラー79頁

お平

湯葉、ダイコン、ニンジン
精進だし10、ミリン1、濃口醤油0.8
菜ノ花、塩
木ノ芽

①精進だし、ミリン、濃口醤油を右記の割合で合わせて熱し、湯葉を入れてサッと煮含める。
②ダイコンは皮をむき、食べやすい大きさに切り分けて、面取りする。①と同様のだしで煮含める。ニンジンも同様。
③菜ノ花は、塩ゆでしてすぐ冷水にとって色止めする。
④それぞれを器に盛り、木ノ芽を添える。

カラー79頁

若竹煮

タケノコ、ワカメ
精進だし1.8リットル、酒36mℓ、淡口醤油72mℓ、塩5g
フキ、つけ地（精進だし、塩）
木ノ芽

①タケノコは、ぬかゆがきしてアクを抜き、洗い流してから食べやすい大きさに切りそろえる。
②熱湯でゆがいてぬか臭さを抜く。精進だし、酒、淡口醤油、塩を右記の割合で合わせて、タケノコを入れて煮含める。
③ワカメは、スジを取って食べやすく切りそろえ、②と同様の地で煮含める。
④フキは板ずりしてから色よくゆで、筋を取って食べやすく切りそろえる。精進だしに塩を加えたつけ地につけておく。
⑤すべて盛りつけて、木ノ芽を添える。

カラー79頁

筍団子餡かけ

タケノコ、昆布だし、塩少量、淡口醤油少量）、小麦粉、揚げ油
シイタケ
ニンジン
絹サヤエンドウ
精進だし8、ミリン1、濃口醤油、葛粉
ショウガ

①タケノコ団子をつくる。タケノコの根に近い固い部分を、塩、淡口醤油で味をつけた昆布だしで煮含め、フードプロセッサーで細かくする。小麦粉少量をつなぎに加え、丸く成形して、170℃に熱した油で揚げる。
②シイタケとニンジンをいちょう切りにし、下ゆでしておく。絹サヤを熱湯でサッとゆでる。
③精進だしに、ミリン、濃口醤油を右記の割合で加えて調味し、火にかける。水で溶いた葛粉適量を加えてゆるめのとろみをつけて餡をつくる。
④①と②を器に盛り、③をかける。針ショウガを添える。

カラー79頁

椀

小カブ、つけ地（精進だし、塩）
ヨモギ麩、揚げ油、昆布だし、塩少量、淡口醤油少量
吸い物用精進だし1.8リットル、白漉し西京味噌400g、淡口醤油5mℓ
練り芥子

①小カブは八方にむき、蒸したのち、塩味をつけた精進だしにつけておく。
②ヨモギ麩は、包丁して形を整えて170℃に熱した油で揚げたのち、熱いうちに油抜きをする。吸い地程度に塩と淡口醤油で味をつけた昆布だしで煮含める。
③吸い物用精進だしを熱し、白漉しの西京味噌を溶き入れ、淡口醤油で味を調える。
④小カブを椀に盛り、③を注ぐ。小カブの上にヨモギ麩を盛って、練り芥子を添える。

技術指導者紹介

（店名50音順）

かんだ

神田裕行（かんだ・ひろゆき）

東京都港区麻布十番3−6−34カーム元麻布1階

TEL03−5786−0150

菊乃井

村田吉弘（むらた・よしひろ）

本店菊乃井／京都市東山区祇園円山真葛ケ原

TEL075−561−0015

露庵菊乃井／京都市下京区木屋町四条下ル

TEL075−361−5580

赤坂菊乃井／東京都港区赤坂6−13−8

TEL03−3568−6055

木乃婦

髙橋拓児（たかはし・たくじ）

京都市下京区新町通仏光寺下ル岩戸山町416

TEL075−352−0001

大本山永平寺

三好良久（みよし・りょうきゅう）

福井県吉田郡永平寺町志比5−15

TEL0776−63−3102

つきぢ田村

田村　隆（たむら・たかし）
東京都中央区築地2-12-11
TEL 03-3541-2591

築地本願寺　紫水

長島　博（ながしま・ひろし）
東京都中央区築地3-15-1
TEL 03-3544-0551

てんぷらみかわ

早乙女哲哉（さおとめ・てつや）
みかわ是山居／東京都江東区福住1-3-1
TEL 03-3643-8383
茅場町店／東京都中央区日本橋茅場町3-4-7
TEL 03-3664-9843
六本木ヒルズ店／東京都港区六本木6-12-2六本木ヒルズレジデンスB　3階
TEL 03-3423-8100

布恒更科

伊島　節（いじま・たかし）
東京都品川区南大井3-18-3
TEL 03-3761-7373
築地布恒更科／東京都中央区築地2-15-20
TEL 03-3545-8170

瓢亭
髙橋英一（たかはし・えいいち）
髙橋義弘（たかはし・よしひろ）
京都市左京区南禅寺草川町35
TEL 075-771-4116

丸香
谷口春紀（たにぐち・はるき）
東京都千代田区神田小川町3-16-1
TEL 03-3294-1320

料理屋こだま
小玉 勉（こだま・つとむ）
東京都港区西麻布1-10-6
NISHIAZABU1106 2階
TEL 03-3408-8865

だしの科学執筆

成瀬宇平（なるせ・うへい）
鎌倉女子大学名誉教授

うま味の基礎知識執筆

味の素株式会社
二宮くみ子（にのみや・くみこ）
黒田素央（くろだ・もとなか）／川崎寛也（かわさき・ひろや）／川口宏和（かわぐち・ひろかず）
東京都中央区京橋1-15-1
TEL 03-5250-8183

だしの基本と日本料理
うま味のもとを解きあかす

初版発行　二〇〇六年八月二〇日
一〇版発行　二〇二三年九月一〇日
編者　柴田書店©
発行者　丸山兼一
発行所　株式会社柴田書店
〒一一三-八四七七　東京都文京区湯島三-二六-九イヤサカビル
電話　書籍編集部　〇三-五八一六-八二六〇
営業部　〇三-五八一六-八二八二（注文・問合せ）
ホームページ　https://www.shibatashoten.co.jp
ISBN　978-4-388-06002-3
印刷・製本　NISSHA株式会社

＊70頁、74～75頁は、『そばうどん35号』から再録・再編集したものです。

企画・編集協力　味の素株式会社